Sie sind beide dreißig; zwei Freundinnen, die sich gegenseitig beneiden: Gloria beneidet Marie um ihre Freiheit als Single, Marie beneidet Gloria um Mann und Kind. Der Neid schärft ihren Blick für Defizite: Es geht dabei um schicke Schuhe und Helmut-Lang-Klamotten trotz Sozialhilfe; darum, daß frau selber schuld ist, wenn sie sich immer wieder in Deppen verliebt; und es geht um verwischte Lippenstifte, Flughäfen und die Angst vor der Einsamkeit ... – »Aus dem engsten Kosmos – zwischen Friseur- und Schuhsalon, Bar und Bett, verschlepptem Sex und Wodka bis zum Abwinken – schlägt Elke Naters mit kluger erzählerischer Ökonomie den denkbar größten ästhetischen Gewinn ... Mit klassischem Feminismus hat das nur sehr entfernt etwas zu tun, wohl aber mit weiblichem Selbstbewußtsein ... Dies ist nun wirklich ein ›Weiberroman‹.« (Martin Krumbholz in der ›Neuen Zürcher Zeitung‹)

Elke Naters, 1963 geboren, ist in München aufgewachsen und lebt in Berlin. ›Königinnen‹ (1998) ist ihr erster Roman. Ihr zweiter Roman ›Lügen‹ erschien 1999.

Elke Naters
Königinnen

Roman

Deutscher Taschenbuch Verlag

Ungekürzte Ausgabe
Juli 2000
Deutscher Taschenbuch Verlag GmbH & Co. KG,
München
www.dtv.de
© 1998 Elke Naters
© 1998 der deutschsprachigen Ausgabe:
Verlag Kiepenheuer & Witsch, Köln
Umschlagkonzept: Balk & Brumshagen
Satz: Greiner & Reichel, Köln
Druck und Bindung: C. H. Beck'sche Buchdruckerei,
Nördlingen
Gedruckt auf säurefreiem, chlorfrei gebleichtem Papier
Printed in Germany · ISBN 3-423-12794-5

Gloria

Ich sitze mit Marie im Café, und Ala kommt herein. Sie tut so, als wäre ich nicht da und setzt sich neben Marie und erzählt ihr unwichtiges Zeug. Ich kenne das schon von ihr und lese Zeitung. Ich höre, wie sie zu Marie sagt: *Du hast wunderschöne Schuhe an.* Ich wette, wenn ich diese Schuhe getragen hätte, hätte sie gesagt, deine Hose rutscht dir runter, hast du keinen Gürtel? Überflüssig, ihr zu erklären, daß man diese Hose gar nicht anders tragen kann, als auf den Hüftknochen hängend. Ala war meine beste Freundin.

Wenn Ala auf Marie und mich trifft, ist das so ähnlich, wie wenn ich auf Marie und Susan treffe. Nur zeige ich meine schlechte Laune und rede mit keinem, während Ala Marie Komplimente über ihre Schuhe macht und mich völlig ignoriert, obwohl sie mit mir weit mehr als mit Marie verbindet. Das ist der Unterschied zwischen uns. Der wesentliche Unterschied aber ist, daß sie klein ist und ich groß. Ala denkt, Marie ist schuld daran, daß wir uns nicht mehr verstehen. Deshalb ist sie besonders nett zu Marie.

Wenn Ala Geburtstag feiert, lädt sie alle ihre kleinen Freunde und Freundinnen ein. Und mich. Dann stellt sie uns in ein Zimmer, nimmt alle Stühle weg, und ich muß mich den ganzen Abend bücken, wenn ich mich unterhalten möchte. Am Ende des Abends sagt sie dann: *Du solltest unbedingt auf deine Haltung achten.*

Solange Ala meine Freundin war, habe ich keine hohen Schuhe getragen. Jedesmal wenn ich Ala treffe, habe ich stundenlang schlechte Laune.

Um meine Laune zu heben, gehe ich Schuhe kaufen. Mit Absätzen. Marie will erst mitkommen, aber dann fällt ihr ein, daß sie kein Geld hat und geht lieber nach Hause. Ich gehe über die Straße zum Bankautomaten. Der gibt mir kein Geld. Ich weine ein bißchen und fahre auch nach Hause. Auf dem Weg komme ich an diesem teuren Kleidergeschäft vorbei. Ich halte an und schaue nur mal so ins Fenster.

Da stehen diese wirklich wunderschönen Schuhe von Patrick Cox. Die sind dunkelbraun und glänzen und haben zwei kleine Schnallen. Das beschreibt sie nur unzulänglich, aber sie sind wirklich wunderschön. Es passiert sehr selten, daß ich schöne Schuhe sehe. Das letzte Paar, das ich gesehen und gekauft habe, weil ich mich sofort darin verliebt habe, waren die curryfarbenen Lackloafers von Miu Miu. Bei Theresa in München.

Ich gehe in den Laden und frage mal nur so, was die Schuhe kosten. Sie kosten zweihundertachtundneunzig Mark, aber ich verstehe hundertachtundsechzigmark. Das kann natürlich nicht sein, das weiß ich, daß es von Patrick Cox keine Schuhe unter zweihundertmark gibt, außer im Ausverkauf, aber diese Schuhe sind brandneu. Aber weil ich kein Geld habe, glaube ich daran, daß sie nur hundertachtundsechzigmark kosten. Gar nicht so teuer, denk ich mir. Geht doch. Jetzt, wo ich weiß, wieviel die Schuhe kosten, will ich wieder gehen. Die Verkäuferin ist sehr freundlich und fragt mich, ob ich die Schuhe anprobieren möchte. Ich probiere die Schuhe an, nur so. Die Verkäuferin fragt mich, wie die Schuhe passen, und ich sage perfekt, weil sie wirklich perfekt passen. Sie fragt, ob ich sie mitnehme, und ich sage, das würde ich schon gerne, aber ich habe gerade kein Geld. Das macht nichts, sagt die Verkäuferin, ich lege sie zurück. Wieviel ich denn anzahlen möchte. Ich sage, ich habe auch kein Geld zum Anzahlen, und es dauert mindestens eine Woche, bis ich eins haben werde. Das macht nichts, sagt sie. Dann lege ich sie eben so zurück. Ein derart freundliches Angebot kann ich nicht abschlagen, und sie legt mir die Schuhe zurück.

Am Abend telefoniere ich mit Marie und erzähle ihr von den Schuhen. Sie fragt, was die kosten, und ich sage hundertachtundsechzigmark. Das geht doch, sagt sie. Ja, das geht wirklich, sage ich. Eine Woche später kommt das Geld vom Sozialamt, und ich gehe meine Schuhe holen. Der Automat gibt mir auch wieder Geld, und ich hebe vorsichtshalber gleich dreihundertmark ab. Weil ich so eine Ahnung habe. Ich zahle, ohne mit der Wimper zu zucken. Von den restlichen zwei Mark kaufe ich mir ein Eis. Marie sagt, das habe sie sich gleich gedacht, daß die Schuhe soviel kosten.

Das einzige, für das es sich immer lohnt, viel Geld auszugeben, sind Schuhe. Alles andere kann man mit Geschmack und Geduld genauso gut billig erstehen. Schuhe nicht. Und wenn man gute Schuhe trägt, dann sieht alles andere auch gleich aus, als wäre es von Helmut Lang. Und nicht von H&M.

Marie

Den ganzen Abend stehe ich rum und warte, daß er kommt, und dann kommt er, wenn meine Laune unten ist und der Lippenstift verwischt. Ich stelle mich hin und rede und amüsiere mich, lache ganz viel und hoffe, daß er zur Tür reinkommt und mich sieht, wie ich da stehe und strahle, und es ist anstrengend, die ganze Zeit zu strahlen und zu glänzen. Er erwischt mich, wie ich alleine an der Wand stehe und müde vor mich hinstarre, weil alle schon gegangen sind und mir mein Gesicht weh tut, vor lauter Glücklichsein und Gutaussehen. Ich habe zuviel getrunken, das macht es nicht besser. Er steht auf einmal vor mir, und ich bin zum erstenmal an diesem Abend nicht darauf gefaßt, ihn zu sehen. Paul fragt mich, was ich trinken will, und ich sage ihm, daß er mir ein Bier holen soll, und gehe aufs Klo. Wie ich den Spiegel schaue, komme ich mir vor wie in einem schlechten Film. Mein betrunkenes Gesicht schaut mich an, als hätte es mich noch nie gesehen. Ich tu Wasser drauf, aber davon wird nichts besser. Ich nehme mich bei der Hand, und bevor der schlechte Film weitergeht, stehe ich draußen und gehe nach Hause.

Der Tag fängt beschissen an, weil der Abend beschissen aufgehört hat. Das ist meistens so. Ich wache auf und tu mir erstmal leid. Mich erschöpfen die Tage. Sie bringen nichts Neues. Ich ertrage es nicht, daß man jeden Morgen aufstehen muß. Sich waschen. Zähneputzen. Anziehen und frühstücken. Man kann natürlich fast alles weglassen, das Waschen, Zähneputzen, Anziehen und Aufstehen. Das mache ich auch so, an solchen Tagen. Nur das Frühstücken, das kann man nicht weglassen. Das heißt, irgendwann muß man essen, und dazu muß man einkaufen, und zum Einkaufen muß man aufstehen und sich anziehen. Zumindest. Das Waschen und den Rest lasse ich weg. Schau gar nicht erst in den Spiegel. Will nur schnell raus, einkaufen und wieder zurück, als wär ich nie draußen gewesen. Als ich dann an der Kasse stehe, ist es mir nicht mehr egal, wie ich aussehe. Ich ärgere mich und fühle mich unwohl. Man sollte nie ungeschminkt und scheißegal auf die Straße gehen. Da wird man in den Geschäften schlecht behandelt und fühlt sich auch sonst mies. Nur in der Bibliothek sind sie immer freundlich und freuen sich über jeden, der liest. Ich leihe mir Jane Eyre aus.

Susan ruft an. Sie hat einen Freund, den sie nicht liebt. Darüber ist sie verzweifelt. Das ist sie oft. Sie will sich trennen oder doch nicht. Weil sie Angst hat vor der Einsamkeit. Dieser ganze langweilige Käse. Sie ist vierunddreißig, da stehen die Chancen schlecht. Ich bin erst dreißig, da fängt das Leben gerade an. Sie tut mir leid, weil sie so alt ist und einsam und drei Abtreibungen hinter sich hat und keine Kinder mehr kriegen wird. Deshalb tröste ich sie, und um sie aufzumuntern sage ich, daß sie mitkommen soll heute abend. Gloria würde sich freuen. Ich weiß, daß sie das nicht tut, aber ich habe ein weiches Herz.

An der Bar sitzt Gloria. Und lauter häßliche Männer. Außer einem. Den lächle ich an. Gloria ist sauer, weil ich zu spät komme oder was auch immer. Ich tu so, als wär nichts und setze mich neben sie. Susan geht aufs Klo. Das macht sie immer so. Jedesmal wenn sie irgendwo hinkommt, geht sie erstmal aufs Klo. Das muß am Alter liegen. Ich sage das zu Gloria, und sie muß lachen. Jetzt ist sie nicht mehr sauer.

Der hübsche Junge küßt eine häßliche Frau. Zu klein und zu alt. Sie trägt Hot pants und weiße Strumpfhosen. Wenn man einen entscheidenden Fehler machen kann, dann ist das, weiße Strumpfhosen zu tragen. Die machen immer dicke Beine. Kleine Frauen sollten auch keine kurzen Hosen tragen. Kleine Frauen sollten gar nicht erst aus dem Haus gehen. Kleine Frauen sollten zu Hause bleiben. Nur zum Einkaufen soll man sie herauslassen. Und um mit ihren Kindern auf den Spielplatz zu gehen. Schließlich sollen die Kinder nicht auch noch darunter leiden müssen, daß ihre Mütter klein sind. Eine andere Frage ist natürlich, ob kleine Frauen sich überhaupt fortpflanzen sollen. Denn in der Regel kriegen kleine Frauen kleine Kinder und wieder kleine Mädchen, die zu kleinen Frauen werden. Aber schließlich müssen auch die kleinen Männer passende Frauen finden. Nicht alle kleinen Männer mögen große Frauen. Ich habe nichts gegen kleine Männer. Es ist nur so, daß ich ihnen gegenüber immer ein schlechtes Gewissen bekomme. Wenn ich neben einem kleinen Mann stehe und mich zu ihm hinunterbeugen muß. Beim Reden oder beim Küssen. Mir macht es nichts aus, wenn ein Mann kleiner ist, aber ich denke immer, daß ihm das zu schaffen macht, eine große Frau.

Robert kommt. Er ist der Freund von Heike, die wir nicht leiden können. Aber Robert mögen wir. Susan ist zurück vom Klo und telefoniert jetzt. Sie schaut gequält

und redet viel. Ich mag mir ihre Sorgen nicht mehr anhören. Nicht an einem Abend, der sich gut anläßt. Ich setze
mich so hin, daß sie keinen Platz mehr neben mir hat. Sie
müßte sich hinter meinem Rücken an die Bar drücken.
Das wird sie nicht tun. Robert tanzt mit Gloria, und Susan setzt sich neben mich. Ich beobachte die beiden. Sie
lachen viel und sehen schön aus zusammen. Das macht
mich traurig. Ich weiß auch nicht warum. Sie tanzen und
hören gar nicht mehr auf. Susan redet auf mich ein. Ich
höre nicht zu.

Die beiden tanzen immer noch. Susan heult jetzt, ich
weiß nicht warum, weil ich ihr nicht zugehört habe. Es
interessiert mich auch nicht.

Ich trinke Wodka und werde betrunken. Mir geht es
gut. Ich brauche niemanden. Ich werde endlich eins mit
dieser Nacht. Ich steige in mein Glas und strecke mich
aus im Wodka. Endlich liegen. Warm und feucht. Die
Musik deckt mich zu, und alles wird ganz weich.

Gloria

Ich gehe die Straße lang, und mir ist ganz schwach vor Hunger. Ich habe mich nicht verabschiedet. Von niemandem. Manchmal, wenn ich Hunger habe, wird mir so schwach, dann brauche ich sofort etwas zu essen. Das haben die nicht kapiert, daß es jetzt ganz schnell gehen muß. Da stehen die rum und tun sich wichtig, und mir wird klar, daß ich dort nichts verloren habe. Plötzlich stellt sich alles in Frage. Meine Freunde und meine Nächte, und ich gehe. So schnell ich kann. Vorbei an Marie, die mich blöde anschaut. Das sehe ich, obwohl ich sie nicht anschaue, wie ich an ihr vorbeigehe. Sie mußte noch *was klären*, und das tut sie wohl gerade und greift sich ständig in ihre blöden Haare. Beim Rausgehen kommt mir auch noch Susan entgegen, sie war verreist und hat mir gerade noch gefehlt. Sie grüßt mich überschwenglich, dabei haben wir uns schon lange nichts mehr zu sagen und will mich küssen, aber ich drehe mich weg und trete ihr in den Arsch. Tu ich natürlich nicht, leider. Ich laß mich also küssen, und geh dann endlich raus ins Freie.

Manchmal stelle ich mir vor, Sachen zu machen, die niemand von mir erwartet. Wie Susan in den Arsch zu treten oder mit Kleidern herumzulaufen, die völlig daneben sind, oder einer Frisur. Damit meine ich nicht, völlig verrückt rumzulaufen. Es geht mehr darum, daß man als gut gekleidet und geschmackssicher gilt, und dann kommt man mit einer gelben Bluse daher oder einer Handtasche, die einen kompletten Affen aus einem machen, und man tut so, als wäre alles wie immer. Da würde es mich interessieren, ob die anderen auch so tun, als wär nix und sich hinter meinem Rücken das Maul zerreißen. Da macht man aus allem eine Krise, wenn der Friseur die Haare verschnitten hat oder man nichts zum Anziehen hat oder man was anhat, in dem man sich blöd und unwohl fühlt, anstatt sich einen Riesenspaß daraus zu machen. Aber bis ich mich das traue, muß ich noch viele Jahre älter werden, glaube ich, und wenn es dann soweit ist, denken alle, daß ich eine verkalkte Alte bin, die nicht mehr in der Lage ist, eine passende Handtasche herauszusuchen oder eine Bluse. Zu dumm, daß man immer so bemüht ist, einen guten Eindruck zu machen. Aber jetzt will ich keinen guten Eindruck mehr machen. Ich will sofort etwas zu essen.

Wie das manchmal so ist, bei einem richtig großen Hunger, kann ich mich nicht entscheiden, was ich essen will. Weil ich alleine bin, will ich schnell essen. Ich will mich nicht in ein Lokal hineinsetzen. Ich will stehen beim Essen. Mit anderen, die auch stehen beim Essen und dabei vor sich hinschauen.

Ich gehe zu McDonald's. Vor mir bestellt einer umständlich und versucht, mit der Bedienung zu flirten. Sie sagt, daß seine Apfeltasche sieben Minuten dauern würde, das heißt, fünfzehn Minuten, bis er sie endlich essen könnte, weil die so heiß rauskommen. Eine Kirschtasche könnte er sofort haben. Er besteht auf seiner Apfeltasche und scherzt plump rum, er liebe 197 Grad heiße Apfeltaschen. Das Mädchen sagt, 195 Grad, und verzieht dabei keine Miene. Nicht das kleinste Lächeln, nicht einmal aus Höflichkeit. Zu mir sagt sie mit dem gleichen

Gesicht, einen Moment bitte und trägt ein Tablett zu Leuten am Ende des Lokals, neben dem Ausgang. Ich will nicht warten, und weil ich schon so lange dort stehe, will ich auch nichts mehr von McDonald's. Ich gehe wieder hinaus, an dem Mädchen vorbei, nur um sie und ihre unbewegliche Miene zu ärgern, gehe ich wieder hungrig hinaus und hole mir einen Falafel an der Ecke. Dabei kann ich Falafel nicht ausstehen. Das Mädchen kommt mir entgegen beim Hinausgehen, und sie ist tatsächlich irritiert, daß ich gehe und sagt etwas zu mir, aber ich laufe an ihr vorbei, als wär sie gar nicht da. Den Falafel esse ich im Gehen.

Wenn ich so alleine unterwegs bin und mich ärgern muß, und das muß ich mich immer, ärgern, über dumme Menschen oder Hunde, rede ich mit mir selbst. Wenn ich jemanden auf der Straße laufen sehe, und es ist noch dazu ein junger Mensch, und der redet mit sich selbst, denke ich immer, der hat sie nicht alle. Dabei laufe ich selber immer leise redend durch die Gegend. Das heißt, meistens rede ich nur im Kopf mit mir, aber oft auch richtig. Ich gehe zum Beispiel einkaufen. Will mir etwas zum Anziehen kaufen, Schuhe zum Beispiel. Also gehe ich durch die Schuhgeschäfte und schau mir die Schuhe an und probiere sie auch an und rede die ganze Zeit dabei. Mein Gott, wer soll diese häßlichen Schuhe kaufen, oder warum gibt es die Schuhe, die ich suche, immer erst zwei Jahre später, oder ich stehe bei H&M und schimpfe vor mich hin. Wie ein irres altes Weib. Bei H&M schimpfe ich am meisten.

Marie

Ich wache auf und denke, den Traum darfst du nicht vergessen, weil er so ungeheuerlich ist. Der Traum geht so: Eva hat Geburtstag, und den feiert sie in einer größeren Gesellschaft, zu der ich auch eingeladen bin. Eva steht vor einem großen Tisch mit einer roten Decke. Darauf sind die Geschenke gehäuft. Sie packt eins nach dem anderen aus und hebt es hoch, damit alle es sehen können, und sagt dann laut den Namen desjenigen, von dem das Geschenk ist. Ich habe, natürlich, denke ich mir, kein Geschenk mitgebracht. Da höre ich Eva sagen: *Und das ist von Marie.* Sie packt etwas aus, das ich nicht sehen kann und riecht daran und sagt, *das riecht aber gut. Vielen Dank, Marie* und stellt es auf den Tisch. Ich wundere mich, weil ich doch gar kein Geschenk mitgebracht habe, und gehe zu dem Tisch, um zu sehen, was das ist. Da stehen zwei billige Deoroller, die Eva selbst gekauft hat und eingepackt und nun als mein Geschenk ausgibt, um mich zu blamieren.

Dieser Traum hebt meine Laune ungemein, und ich muß an Eva denken. Neulich haben wir telefoniert. Das machen wir nie, und wahrscheinlich habe ich deshalb von ihr geträumt.

Eva behauptete, ich hätte ihr damals im Dantebad das Schwimmen beigebracht. Nicht das Schwimmen an sich, das konnte sie natürlich, sondern das sportliche Brustschwimmen, bei dem man mit dem Kopf im Wasser ausatmet. Vorher wäre sie immer im Wasser rumgepaddelt wie ein Hund, und seitdem würde sie gerne und oft zum Schwimmen gehen. Gerade darum. Das ist seltsam, denn meine Erinnerung an diesen Sommer im Dantebad ist eine, gerade was Eva angeht, sehr unangenehme, denn damals begann ihr Verhältnis mit Klaus, was nicht richtig war, weil er mein Freund war und meine große Liebe, und sie schwor mir in diesem Sommer am Beckenrand, daß es bereits ein Ende habe. Und es endete damit, daß sie gerade das zweite Kind von ihm bekommt. Aber das hat sie wahrscheinlich vergessen, während sie hochschwanger ihre Runden schwimmt und dabei mit dem Kopf im Wasser ausatmet.

Das Telefon klingelt, und es ist wieder nicht Paul. Seit Tagen warte ich darauf, daß er anruft. Kann er gar nicht. Er hat nämlich nicht einmal meine Nummer. Könnte er natürlich schon. Es ist ein leichtes, meine Nummer herauszubekommen. Wahrscheinlich weiß er nicht einmal, wie ich heiße. Wahrscheinlich denkt der nicht einmal an mich. Ich will hören, was Gloria darüber denkt, aber bei der ist ständig besetzt. Wahrscheinlich telefoniert sie mit Paul. HaHa. Das Telefon klingelt wieder, und es ist Gloria. Sie hat sich neue Schuhe gekauft und meint, ich soll dem Paul Zeit lassen. Es wäre offensichtlich, daß er an mir interessiert sei. Aber er wäre einer, der schnell die Flucht ergreift, wenn man ihm zu nahe rückt. Das interessiert mich nicht. Solche Männer interessieren mich nicht. Ich bin dreißig Jahre alt. Das Leben liegt mir zu Füßen, und ich habe keine Lust auf diesen Kinderquatsch. Das geht nicht mehr. Ich möchte einen Mann, den ich zu jeder Zeit und alle fünf Minuten anrufen kann. Ich möchte einen Mann, der sich zu mir ins Bett legt und nie mehr nach Hause geht. Einfach so. Weil es ihm bei mir gefällt und ich ihm gefalle und er immer bei mir bleiben will. Ich mag diese Spiele nicht mehr spielen. Das muß Gloria auch zugeben, und wir beschließen, daß ich den Paul vergessen soll.

Danach geht's mir auch nicht besser. Um nicht mehr das blöde Telefon anschauen zu müssen, gehe ich raus. Obwohl ich das sonst nie mache, gehe ich alleine aus. Es ist eine laue Nacht, und ich nehme das Fahrrad. Wie ich durch die laue Nacht radle, spüre ich zum ersten Mal ein Gefühl von Freiheit. Das hört sich jetzt blöde an, aber mein Herz wird ganz leicht, und ich glaube zu fliegen, so leicht schieße ich durch die Nacht. Das ist eine richtige Freiheit. Mit dem Fahrrad durch eine Sommernacht zu radeln. Und nicht so eine windige Scheißfreiheit, wie jemanden nicht anzurufen, der einen liebt und der auf einen Anruf wartet. Aber den Paul liebe ich nicht. Den kenne ich ja kaum. Ich dachte nur, das wäre endlich mal einer, den man lieben könnte.

Gloria

Ich stehe auf der Straße und sehe jemanden vorbeigehen, der aussieht wie Melitta, bis auf die Haare. Melitta
hat ganz lange blonde Haare, und die, die gerade vorbeigeht, hat dünne zottlige, irgendwie helle, nicht mal richtig blonde Haare.

Ich rufe *Melitta*, weil wenn sie es ist, wird sie sich um-
drehen, und wenn nicht, wird sie einfach weitergehen
und gar nicht merken, daß ich ihr hinterhergerufen habe.
Nachdem ich gerufen habe, bin ich mir plötzlich gar nicht
mehr sicher, ob sie wirklich Melitta heißt. Und nicht
Melissa oder ganz anders. Sie heißt natürlich Melitta,
aber der Name kommt mir so falsch vor, fast unanständig
falsch, nachdem ich ihn ausgesprochen habe.

Sie bleibt tatsächlich stehen und dreht sich um, und es
ist Melitta, und ich bin mir jetzt auch sicher, daß Melitta
der richtige Name ist. Sie kommt auf mich zu.

Wir haben uns lange nicht gesehen, weil wir verreist
waren, aber wir hatten schon telefoniert. Außerdem sehen wir uns sehr selten, fast nie. Manchmal ruft sie an,
und dann telefonieren wir, als wären wir gute alte Freundinnen, obwohl sie eigentlich anruft, um mit Lorenz zu
sprechen, aber das läßt sie sich nicht anmerken, und
wenn ich ans Telefon gehe, tut sie so, als hätte sie mich
anrufen wollen, und am Ende fragt sie dann ganz beiläu-
fig, ob Lorenz auch irgendwo in der Nähe sei, oder sie
findet schon während des Gespräches heraus, ob er arbei-

tet oder zu Hause ist, und wenn er arbeitet, fragt sie gar nicht erst nach ihm. Bei jedem Telefonat sagt sie dann, daß sie bald mal vorbei kommen will, uns besuchen, und dann kommt sie nie. Das heißt, das sagt sie zu mir. Lorenz fragt sie immer, ob er sich mit ihr treffen will, und er sagt dann immer, sie soll doch lieber vorbeikommen, und dann kommt sie auch nie.

Als sie vor mir steht, erschrecke ich fast darüber, wie sie aussieht und nicht nur wegen dem Haarschnitt. Dazu muß man sagen, daß Melitta aussieht wie ein herausgewachsenes Mädchen. Sehr groß und hübsch. Früher hat sie lange Ballett getanzt, und genauso sieht sie aus. Weil sie nicht mehr so aussehen will, das nehme ich zumindest an, unternimmt sie ständig irgendwelche Sachen, um sich zu verändern.

Sie ist ganz weiß, nur ihre Stirn ist gerötet, und sie hat einen grellorangen Lippenstift auf den Lippen, und dahinter sehen ihre Zähne ganz gelb aus. Das macht sie noch bleicher. Dazu trägt sie seit kurzem eine komische Brille mit dicken kleinen Gläsern und ohne Rand.

Ich spreche sie auf ihre Frisur an, und sie greift sich kokett ins Haar und sagt, *ja ne, wie Heike Makatsch*. Das ist natürlich ironisch gemeint, aber ich tu so, als hätte ich das nicht gemerkt und frage, ob sie das dem Friseur so gesagt hätte, einmal Haare wie Heike Makatsch. Sie sagt, natürlich nicht, aber sie wäre schon mit einem Bild zum Friseur gegangen. Da wäre nicht Heike Makatsch drauf gewesen, sondern nur irgendein Fotomodell. Ist doch gut so, sagt sie dann noch. Ich sage, ja, ist wirklich gut, weil die Frisur an sich nicht schlecht ist. Ein Seitenscheitel und an den Seiten ab Mundhöhe, sind die Haare stufig geschnitten und hängen fransig ins Gesicht rein, und die

Haare sind schulterlang. Ich glaube, Claudia Schiffer hatte auch mal so eine Frisur, nur länger und mit mehr Haaren, und als ich noch lange Haare hatte, wollte ich sie mir auch mal ähnlich schneiden lassen, aber das habe ich dann doch nicht gemacht, weil es mir nicht steht, wenn mir die Haare fransig ins Gesicht hängen, und außerdem könnte ich das gar nicht ertragen, Haare im Gesicht hängen zu haben. Noch dazu braucht man für solche Frisuren ganz glatte Haare, und die habe ich nicht. Meine Haare wellen sich immer irgendwie.

Ich sage also zu Melitta, das ist wirklich eine gute Frisur, und bewundere ihre glatten Haare und sage ihr, daß ich auch einmal so eine Frisur haben wollte, aber dazu bräuchte man absolut glatte Haare, und sie kann wirklich froh sein, so glatte Haare zu haben. Melitta sieht sehr seltsam aus mit der Frisur, wie verkleidet, und ihre Haare, die ich als schöne blonde Haare in Erinnerung habe, sehen dünn und farblos aus. Melitta sagt noch einmal, ist doch gut, der Haarschnitt? und ich sage ihr noch einmal, daß er richtig gut ist, weil Melitta ihr Leben lang, und das ist ungelogen, lange blonde Haare mit einem Mittelscheitel hatte, und ich stelle mir vor, was das für eine Entscheidung für sie war, die Haare abzuschneiden und wie sie vielleicht danach zu Hause vor dem Spiegel geheult hat, und sage, viel besser als vorher, und Melitta strahlt mich dankbar an mit ihren gelben Zähnen, und wir verabschieden uns, und sie sagt, daß sie bald mal vorbeikommen will.

Marie

Heute morgen habe ich eine schöne Geschichte gelesen. Von einer Frau, die sich umbringen wollte, weil in ihrem Leben nichts Großes passiert. Ein Tag war wie der andere, voll von den kleinen täglichen Verrichtungen. Dann hat sie Marmelade eingekocht, und die ist nichts geworden, völlig mißlungen, und da wurde ihr klar, daß sich nie etwas ändern würde, und deshalb hat sie beschlossen, sich umzubringen. Nicht im Tod hat sie das Große erhofft, sondern auf dem Weg dahin, beim Sterben. Sie hat einen Haufen Tabletten genommen, das Bett schön bezogen, und dann hat sie sich hingelegt und das Große erwartet. Aber alles, was sie gefühlt hat, waren Schmerzen in den Füßen, genau genommen in den Hühneraugen. Dann ist sie gerettet worden, und weil sie jetzt wußte, daß im Sterben nicht die Größe liegt, die sie gesucht hat, bleibt ihr nichts anderes übrig, als ihr kleines Leben weiterzuleben. Und das hat sie dann auch getan.

Ich habe einen Friseurtermin und fahre nach Kreuzberg. Weil mir mein Friseur das letzte Mal die Haare verschnitten hat, gehe ich zu Glorias Friseur. Damit ich nicht zwei Wochen warten muß, hat Gloria dort einen Termin für mich ausgemacht. Auf ihren Namen.

An der Ampel kommt mir Heike entgegen. Sie freut sich immer, wenn sie mich trifft. Jedenfalls tut sie so. Wie immer fällt mir gleich nichts ein, worüber ich mit ihr reden könnte. Ich bin höflich und frage sie belangloses Zeug und höre schon gar nicht mehr zu, wenn sie antwortet. Die Ampel wird grün, und ich will mich verabschieden und über die Straße gehen, da fängt sie an zu erzählen. Was sonst gar nicht ihre Art ist. Normalerweise muß man ihr alles aus der Nase ziehen, was man gar nicht wissen will, nur um ein Gespräch in Gang zu halten. Sie fängt an zu erzählen, von dem neuen Job, den sie hat, und daß im Moment alles so gut läuft. Weil ich höflich bin, höre ich ihr zu, bis die Ampel wieder rot wird, und sie sagt, jetzt muß ich aber los, so als hätte ich sie aufgehalten, und ich warte fünfzehn Minuten, bis die dämliche Ampel wieder grün wird.

So was passiert mir ständig. Neulich hatte ich zum Beispiel einmal richtig gute Laune und dachte versöhnlich, jetzt rufe ich einmal den Klaus in Frankfurt an, was ich sonst nie mache. Dazu muß man sagen, daß das für mich ein sehr großes Zugeständnis ist, dort anzurufen. Eine Herablassung erster Ordnung. Ich rufe gut gelaunt dort an, und bevor ich noch mehr sagen kann als meinen Namen, sagt der Klaus: *Ganz ganz schlecht. Ich ruf dich zurück.* Und legt auf. Das ist wie eine Ohrfeige. Mehr noch. Das ist, wie wenn man sich hinsetzen will und mitten im Schwung zieht einer den Stuhl weg, und man knallt auf den Boden. Und alle lachen. Gelacht hat niemand, aber das macht es nicht besser. Da war mir der ganze Tag verdorben. Das ist jetzt etwas anderes als mit der Ampel, aber deshalb vergleichbar, weil jedesmal, wenn ich höflich bin oder freundlich, obwohl ich das gar nicht sein will, dann kommt einer daher, der es nicht ist. Der genau das tut, was ich gerne getan hätte, mir aber mein Anstand verboten hat.

Den Friseur erkennt man daran, daß auf der Straße, vor der Tür, ein Wäscheständer steht, mit lauter bunten Handtüchern darauf. Der Laden ist so groß wie meine Küche, und darin ist ein irres Gedränge, weil sechs Friseure an sechs Leuten herumfrisieren.

Ich gehe hinein und bleibe mitten im Raum stehen, weil ich mich anmelden möchte, aber keiner bemerkt mich, und so stehe ich noch ein bißchen dumm rum und setze mich dann auf einen Stuhl, der neben einem Tischchen steht, auf dem Zeitschriften ausliegen. Da steht noch ein Stuhl, und auf dem sitzt auch jemand, der so aussieht, als würde er warten. Ich schaue mir aber keine Zeitschriften an, sondern ich schaue mich um, weil so ein irres Gedränge ist in dem Laden.

Mein Friseur ist in Charlottenburg, und sein Geschäft ist zehnmal so groß, und darin arbeiten drei Friseure, und die müssen sich anschreien, wenn sie miteinander reden wollen, so weit stehen die auseinander. Wenn man reinkommt, wird man gleich freundlich angeschaut und nach seinem Anliegen gefragt.

Irgendwann kommt einer und fragt mich, bei wem ich einen Termin hätte, und ich sage bei Sascha. Irgendwann kommt Sascha und sagt, *einen Moment noch*, *Gloria*, und geht hinaus. Ich muß kichern. Dann kommt er wieder und sagt, *setz dich mal dahin*, *Gloria*, und zeigt auf einen Stuhl, und es kommt mir so falsch vor, Gloria genannt zu werden, deshalb sage ich zu ihm, ich heiße Marie, ich habe nur Glorias Termin, und er sagt, ob Marie oder Gloria, das sei ihm egal und wie ich denn die Haare geschnitten habe will. Auf einmal komme ich mir richtig blöd vor mit meinem Namen und denke mir, daß Sascha bestimmt Wolfgang heißt und sich jetzt Sascha nennt, und

dabei ist Sascha ein noch viel blöderer Name als Wolfgang. Ich beschreibe ihm, wie ich meine Haare geschnitten habe möchte, und er sagt ungeduldig, *also so seventies*.
Das ist schon wieder eine Unverschämtheit, und mir wird
klar, daß ich für ihn irgendeine Marie oder Gloria bin, die
einen seventiesmäßigen Haarschnitt will.

Sascha wäscht mir die Haare mit zu kaltem Wasser,
dann muß ich mich wieder vor den Spiegel setzen, und
er fängt an zu schneiden. Nach zehn Minuten ist er fertig und hält mir einen Spiegel hin, aber ich kann gar
nichts erkennen, weil die Haare noch klatschnaß sind.
Ich bitte ihn, sie mir wenigstens noch ein bißchen trok-
ken zu föhnen, und er hält mir den Föhn so nah an den
Kopf, daß es mir fast die Kopfhaut verbrennt. Ich sage,
das reicht, als die Haare einigermaßen trocken sind, und
er kämmt sie mir hin, und ich habe tatsächlich einen richtig guten Haarschnitt. Ich sehe fast aus wie vorher, nur
viel viel besser. Er wird jetzt freundlicher, weil ich zufrieden bin und er mich bald los ist und holt mir bereitwillig
noch etwas, was er mir in die Haare tut. Ich zahle und
gebe ihm fünf Mark Trinkgeld und gehe zu Lorenz in
den Laden, um mein Fahrrad abzuholen. Als Gloria am
Abend Lorenz fragt, wie meine Frisur geworden ist, sagt
er wie Heike Makatsch. Die hat jetzt nämlich wieder
kurze Haare.

Gloria

Ich möchte so richtig viel Geld haben. Soviel Geld, daß man es nie ausgeben kann.

Dann würde ich an Tagen, an denen ich sonst nichts anzufangen weiß, Marie anrufen, und wir würden durch die Stadt ziehen und jeden Mist kaufen, der uns gefällt. Das meiste hätten wir gleich über, weil es bei den meisten Sachen nicht darum geht, sie zu haben, sondern weil nur das Kaufen die richtige Befriedigung verschafft. Wenn uns die Tüten zu schwer werden, würden wir sie einfach stehen lassen. Wir müßten nichts aufheben, weil wir genug Geld hätten, wieder etwas Neues zu kaufen, wenn wir das brauchten. Das befreit enorm. Wenn man richtig viel Geld hat, braucht man gar nichts mehr. Ein Zustand absoluter Freiheit.

Aber davon sind wir weit entfernt. So was erreicht man auch nicht mit anständiger Arbeit. Es macht keinen Spaß Geld auszugeben, für das man gearbeitet hat. Da wird das Geld zu kostbar, als daß man es durch die Gegend schmeißen kann. Und dazu soll das Geld da sein, um es durch die Gegend zu schmeißen. Wenn man das Geld erarbeiten muß, klebt man noch mehr am Geld, als wenn man keins hat. Geld, das man nicht hat, gibt man auch gerne aus. Je weniger Geld ich habe, desto lieber gebe ich es aus. Je mehr Geld ich habe, desto mehr halte ich es zusammen. Mit Arbeit viel Geld zu verdienen, ist das Gegenteil von Freiheit. Kein Geld zu haben, kommt dem

Zustand, unendlich viel Geld zu haben, näher. Was die Freiheit betrifft. Das bestätigt die Erfahrung.

Nachdem wir uns das klar gemacht haben, daß es keinen Sinn hat, mit ehrlicher Arbeit Geld zu verdienen, beschließen wir ins KaDeWe zu gehen und das Geld auszugeben, das wir nicht haben. Marie hat nämlich eine goldene Kundenkarte vom KaDeWe. Die haben sie ihr einmal aufgedrängt auf der Rolltreppe, als sie nicht ganz bei sich war. Erst hatte sie gedacht, daß sie in eine Kundenfalle gelaufen wäre, aber dann stellte sich heraus, daß die Kundenkarte eine Kreditkarte für das KaDeWe ist. Mit der kann man immer einkaufen. Auch wenn man kein Geld hat. Und das macht Marie immer, wenn sie traurig ist, weil sie kein Geld hat. Dann nimmt sie ihre goldene Kundenkarte und geht ins KaDeWe. Da ist sie Königin mit ihrer goldenen Kundenkarte. Egal wieviel Geld sie auf ihrem Konto hat. Weil wir heute beide traurig darüber sind, daß wir kein Geld haben, lädt mich Marie ein, auf einen Einkaufsbummel im KaDeWe.

Wir gehen zuerst in die Parfümerieabteilung. Zum Chanel-Stand. Obwohl die Lippenstifte von Chanel so schnell schmierig werden und andere Lippenstifte, von anderen Firmen, eine viel bessere Konsistenz haben und auch viel länger haften, kaufe ich immer die von Chanel. Weil die am schönsten sind. Weil es nicht nur wichtig ist, welche Farbe man auf den Lippen hat, sondern auch welchen Lippenstift man aus der Tasche holt, um sich die Lippen nachzumalen. Und wenn man Chanel-Lippenstifte benutzt, muß man ziemlich oft nachmalen, weil der so schnell abgeht. Außer man benutzt diese ganz dünnen, langen Lippenstifte, die angeblich einen ganzen Tag und mehrere Geschäftsessen aushalten sollen. Aber die sehen nicht so gut aus. Ein Lippenstift muß aussehen wie ein Lippenstift und nicht wie ein Zahnstocher.

Es gibt auch Frauen, die malen sich die Lippen mit diesen Konturenstiften aus. Ich habe einmal eine Frau beobachtet, die hat sich erst die Lippen mit Nivea Creme eingecremt und dann mit einem Konturenstift die Lippen ausgemalt und anschießend mit einem dunkleren Konturenstift die Ränder nachgezogen. Dabei saß sie mit mehreren Männern an einem Tisch in einem Restaurant, und vor ihr lag die ganze Zeit die Dose mit der Nivea Creme. Das ist widerwärtig. Sie hätte genausogut einen Tampon an diesem Tisch wechseln können.

Ich male mir auch manchmal die Lippen mit solchen Stiften aus, aber nur zu Hause, wo es keiner sieht. Das mache ich, bevor ich weggehe, damit der Lippenstift erstmal hält, bis ich angekommen bin. Dann creme ich und male, manchmal sogar mehrere Lippenstifte übereinander, und am Ende tu ich sogar noch Puder drauf. Aber dabei darf keiner zuschauen. Nicht einmal meine besten Freundinnen.

Ich erzähle Marie noch mal die Geschichte. Sie kennt die schon, und wir schimpfen beide über diese Frau. Das machen wir manchmal, daß wir uns mehrmals Geschichten erzählen, die wir schon kennen, weil sie uns darin bestätigen, wie einig wir uns sind, und dann regen wir uns gemeinsam auf und schimpfen zusammen, und das verbindet uns noch mehr.

Obwohl ich schon dreißig Jahre alt bin, komme ich mir in Parfümerieabteilungen immer vor wie ein Schulmädchen beim Schuleschwänzen. Das liegt daran, daß ich immer schmutzige Fingernägel habe und nie anständige Strümpfe. Die haben entweder ein Loch, oder sie gehören Lorenz und sind mir viel zu groß, daß immer die Ferse raushängt, hinten am Schuh. Marie geht das genauso. Aber weil wir die goldene Kundenkarte haben, beschließen wir, uns wie Königinnen zu fühlen und nicht wie Schulmädchen.

Die Verkäuferin am Chanel-Stand sieht aus wie ein abschreckendes Beispiel dafür, was man mit Schminke nicht machen soll. So sehen die immer aus. Alle Parfümerieverkäuferinnen. Wir malen uns den Handrücken voll, und dann kaufe ich die Nummer 36, die ich immer kaufe. Die Verkäuferin will mir noch einen passenden Nagellack dazu aufschwatzen, damit man den Schmutz unter den Nägeln nicht sieht. Marie läßt sich über Gesichtspflege beraten und eine Pflegeserie zusammenstellen, die sie dann nicht kauft. Wir gehen in die Wäscheabteilung. Unterhosen kaufen. Das macht keinen Spaß. Wäscheabteilungen ermüden sehr schnell und machen hungrig, deshalb fahren wir hinauf in die Feinkostabteilung, kaufen uns zwei belegte Lenôtre-Baguettes und schauen über die Stadt beim Essen.

Marie erzählt, daß sie sich einsam fühlt und gerne wieder einen Freund hätte. Wir gehen gemeinsam alle Männer durch, die wir kennen und stellen fest, daß kein passender dabei ist. Das ist nichts Neues. Marie fängt an zu jammern, über die Männer, und ich sage ihr, daß ich das Gejammer über die Männer nicht mehr hören kann. Vor allem nicht von Frauen, die sich ständig in offensichtliche Deppen verlieben und sich dann darüber beschweren, daß der ein Depp ist. Man geht doch auch nicht in ein Restaurant und bestellt sich eine Pizza mit Kapern, und dann beschwert man sich darüber, weil man Kapern nicht ausstehen kann und sie nur deshalb bestellt hat, weil die so schön aussehen auf der Pizza. Das sind diese Frauen, die dann immer mit einem Seufzer sagen, ach ich verliebe mich eben immer in die falschen Männer. Als wären sie zwölf und in ihren Mathelehrer verliebt. Marie sagt, ich hätte gut reden, schließlich hätte ich einen Freund und einen anständigen dazu. Da muß ich ihr recht geben. Auch darin, daß es verdammt wenige von solchen Männern gibt, wie ich einen habe. Darüber bin ich plötzlich heilfroh, und ich sage zu Marie, wirst sehen, wir finden noch einen für dich, obwohl ich nicht daran glaube. Aber meiner ist auch einfach so aus dem Nichts aufgetaucht, als ich schon nicht mehr daran geglaubt habe. Nicht einmal daran gedacht hatte ich an jenem Abend, und da stand er und hat in ein Käsebrötchen gebissen. Und jetzt gehen wir nie mehr auseinander. So einfach ist das. Man darf nur nicht mehr daran glauben.

Marie

Susan will mich verkuppeln. Sie meint, sie hätte den Richtigen für mich. Da hat sie selber den Falschen, aber weiß, wer der Richtige für mich sein soll. Sie will mir nichts verraten. Ich soll mich überraschen lassen, sagt sie. Solche Überraschungen kann ich gar nicht leiden. Und Susans Männergeschmack trau ich keinen Finger breit. Wenn er so richtig ist, warum nimmt sie ihn dann nicht? Sie sagt, sie hätte schon einen, und außerdem würde der total auf mich stehen. Das macht mich doch neugierig und schmeichelt meiner Eitelkeit, deshalb gehe ich mit ihr mit. Ich brauche ja nicht mit ihm zu reden. Ich schaue ihn mir nur an, heimlich, und wenn er mir nicht gefällt, was der Fall sein wird, schaue ich durch ihn durch. Außerdem möchte ich wissen, was das für ein Mann ist, der angeblich total auf mich steht.

Auf dem Weg dorthin fängt Susan an, dumm rumzureden, ich solle ihn nicht gleich auf den ersten Blick abtun, sondern ihm eine Chance geben, seine Qualitäten seien vielleicht nicht auf den ersten Blick zu erkennen. So was hab ich mir schon gedacht. Ich frage sie, was der Scheiß soll, ob sie mir irgendeinen Fettsack anhängen will und drehe mich um, um nach Hause zu gehen. Sie sagt, fett sei er auf keinen Fall, und ich sage, bevor sie mir nicht sagt, wo der Haken ist, gehe ich nicht mit ihr mit. Sie druckst rum und dann sagt sie, naja, er wäre schon ein bißchen älter. So um die Vierzig. Er ist siebenundvierzig, *aber unheimlich intelligent und witzig.*

Ich gehe mit ihr mit. Ich weiß auch nicht, warum. Es gibt Tage und auch Nächte, die sind verloren, und das weiß man schon im vornherein. Aber anstatt umzudrehen und in die andere Richtung zu laufen, oder sich ins Bett zu legen und zu warten, bis bessere Zeiten kommen, läuft man mit vollem Bewußtsein und offenen Augen rein in die Scheiße. Ich weiß, daß es falsch ist mitzugehen, aber ich tue es.

Wir gehen zu einer kleinen Party, eher ein Empfang, bei Leuten, die ich nicht kenne. Es gibt ein Buffet, und ich setze mich auf den einzigen Stuhl in der Küche, neben dem Essen. Susan muß neben mir stehenbleiben. Das Essen ist wirklich gut, und das versöhnt mich ein wenig, aber nicht mit Susan. Dann kommt er. Er sieht aus, wie sich Fünfzigjährige einen gutaussehenden Mann vorstellen. Er trägt weite Bundfaltenhosen, die unten eng sind und spitze Schuhe und ein buntes Hemd. Die Haare hat er nach hinten gekämmt. Er heißt Heinz. Susan stellt uns vor. Ich sage ihm, er soll mal einen Witz machen. Er schaut mich blöde an, weil er mich nicht versteht. Susan lacht albern und erklärt ihm, daß sie mir erzählt hätte, daß er einen guten Humor habe. Da lacht er auch erleichtert und sagt, daß ihm gerade nichts Lustiges einfällt und so unter Druck könne er auch gar nicht lustig sein und außerdem sei seine Frau heute gestorben. Jetzt schaue ich blöd und sage, daß mir das leid tut, und da lacht er und sagt, das wäre nur ein Scherz gewesen. Das finde ich nur halb komisch und beschäftige mich wieder mit meinem Essen und tu so, als wenn er nicht da wäre. Zur Strafe. Er redet weiter mit Susan, die bemüht sich witzig zu sein und geistvoll, was ihr nie gelingt. Dann wird es mir zu dumm, und ich stehe auf und schaue mich in der Wohnung um.

Es gibt eine riesige Dachterrasse, da sind alle. Es ist ein schöner Sommerabend. Auf einmal werde ich ganz sentimental und fühle mich einsam unter den Menschen auf der Dachterrasse, die sich unterhalten und trinken in der lauen Abendluft. Da kommt Heinz, und wir reden, und es ist ganz nett. Ich trinke schnell und viel Bier. Ich denke mir, daß es gar nicht so übel ist mit ihm. Er ist zwar schon älter, aber was macht das. Ich mag nicht mehr allein sein. Heinz legt den Arm um mich, und ich fühle mich aufgehoben. Er fragt mich, ob ich noch ein Bier will. Das will ich nicht, weil ich schon fast nicht mehr alleine stehen kann. Er fragt immer wieder, bis ich endlich verstehe, daß er sagt: *Kommst du mit zu mir?*

Auf einmal bin ich nüchtern. Ich schaue mir diesen alten betrunkenen Sack an, mit seinen blöden Hosen und Haaren und spitzen Schuhen. Der denkt sich, er könnte mich einfach so abschleppen. Nur weil ich betrunken bin und alleine. Ich lache ihn aus und lache und lache und kann gar nicht mehr aufhören darüber zu lachen, wie weit es mit mir gekommen ist. Heinz geht weg. Ich fall um und liege auf dem Boden, immer noch lachend darüber, wie weit es mit mir gekommen ist, daß ich betrunken bei fremden Leuten auf ihrer Dachterrasse liege und dabei wie irre lache. Mir ist das egal. Einer hebt mich auf und bringt mich zu meinem Fahrrad. Er ist besorgt darüber, ob ich noch nach Hause fahren kann. Das ist kein Problem. Ich zeige ihm, wie gut ich noch Fahrrad fahren kann. Er sieht richtig nett aus. Später liege ich alleine in meinem Bett und bin froh darüber, daß es noch nicht so weit mit mir gekommen ist. Und das wird es auch nicht. Das weiß ich seit heute.

Gloria

Wenn ich jetzt aufräume, sieht es so aus, als würde ich nur aus schlechtem Gewissen putzen. Das will ich nicht. Dabei hätte ich durchaus nichts dagegen, eben mal kurz die Wohnung durchzuwischen oder den Wäscheberg abzutragen. Das geht jetzt nicht. Weil wir uns gestern abend darüber gestritten haben.

Lorenz streitet sich mit mir um das Aufräumen, weil er sich mit mir nicht um das Aufräumen streiten will. So ist das. Er will nicht, daß solche niedrigen Auseinandersetzungen unsere Liebe belasten. Ich auch nicht. Ist so schon alles schwierig genug. Und deshalb haben wir uns gestritten. Weil die blöde Wohnung sich nicht von alleine aufräumt und putzt. Dabei putze und räume ich nie auf, weil ich die Ordnung zu sehr liebe. Und nicht weil ich gerne im Dreck sitze. Fange ich nämlich einmal an, mit dem Putzen, kann ich nicht mehr damit aufhören. Ich werde immer pingeliger, und dabei wird meine Laune immer schlechter, weil ich mich so nicht leiden kann. Wenn dann endlich alles sauber ist, möchte ich, daß es immer so bleibt, und trage jeden einzelnen Krümel zum Mülleimer und räume alles sofort wieder weg. Das mache ich den restlichen halben Tag. Jede Aktion in dieser Wohnung ist eine Bedrohung für Ordnung und Sauberkeit. Dieser Zustand ist noch unerträglicher, als Ecken auszuwischen, und damit ich mich wieder leiden kann und nicht zur Putzfurie werden muß, lebe ich lieber im

Dreck als in einer sauberen Wohnung. Zwei Tage nach dem Aufräumen ist die Wohnung erträglich. Noch sauber, aber schon eingewohnt.

Das habe ich Lorenz schon so oft erklärt. Die einzige Lösung für mich ist, daß er die Wohnung putzt und aufräumt. Dann fühle ich mich für den Erhalt dieses Zustands nicht verantwortlich und kann mich auch in einer sauberen Wohnung entspannen. Das versteht er nicht. Er sagt, dann soll ich eine Putzfrau besorgen. Das habe ich einmal gemacht. Die hat ständig telefoniert und Kaffee gekocht, war völlig erkältet und wollte die Mädchen mit einem Sudanesen verheiraten, während ich einkaufen war. Als ich ihr genau erklärt habe, was zu machen ist, auf englisch und auf deutsch, nämlich nur GRÜNDLICH die Böden wischen und sonst nichts, hat sie gelangweilt auf ihrem Kaugummi gekaut und weggeschaut. Danach hat sie erst das Bad geputzt, dann die Küche und die letzte halbe Stunde die Böden halbfeucht durchgefeudelt, und am nächsten Tag war Jimi krank. Zwei Wochen lang erkältet. Jetzt habe ich nicht mehr den Mut, eine Putzfrau zu besorgen. Das war das erste und einzige Mal, und ich habe mir gesagt, das heißt, daß wir unsere Wohnung selber putzen müssen. So wie die Linken, die viel Geld verdienen und ihre Wohnung schlecht gelaunt selber putzen, weil kein anderer Mensch ihren Dreck wegmachen soll. Nicht einmal für Geld. Wir sind aber keine Linken, und Geld haben wir auch keins.

Ala ruft an und lädt mich zu ihrem Geburtstag ein. Das hat mir noch gefehlt. Ich werde auf keinen Fall zu ihrer Geburtstagsfeier gehen. Nie mehr. Mit einer Einladung zu ihrem Geburtstag hat unsere Freundschaft begonnen, und so wird sie auch enden.

Ich bedanke mich und frage sie, was sie sich wünscht. Ala macht nämlich hauptsächlich Geburtstagsfeiern, um Geschenke zu bekommen. Dann gibt es billigen Wein und Chips und Flips und keine Stühle. Da hat sie wenig Ausgaben und kann um so mehr Langweiler einladen, die ihr alle ein Geschenk mitbringen müssen.

Es gibt auch Leute, die laden einen zu einem aufwendigen Essen ein, und am Ende stellt sich zufällig heraus, daß sie Geburtstag haben. Ala ruft an und sagt, am soundsovielten habe ich GEBURTSTAG, und ich lade dich zu meiner GEBURTSTAGSfeier ein. Da hat auch der Dümmste kapiert, daß er ein Geschenk mitzubringen hat.

Ich sage Ala, daß ich nicht länger mit ihr telefonieren kann, weil ich weiter putzen muß. Ala will nämlich, daß die Leute deshalb zu ihrem Geburtstag kommen (von den Geschenken abgesehen), damit alle sehen, daß der oder die auch da sind und obwohl die so wichtig sind, Zeit gefunden haben, zu ihrem Geburtstag zu kommen. Ich bin zwar nicht wichtig, aber ich war ihre beste Freundin, und wenn ich nicht komme, dann denken die anderen, die früher ihre besten Freundinnen waren und nicht wissen sollen, daß wir nicht mehr so gut befreundet sind, daß sogar ich, als ihre gute Freundin, etwas Besseres vorhabe und daß ich deshalb wahrscheinlich gar keine so gute Freundin mehr bin. Das freut die, und das ärgert Ala, deshalb will sie um so mehr, daß ich komme. Dann frage ich sie noch, ob sie sich die Prada Tasche gekauft hat, damit sie sich noch mehr ärgert, wenn ich nicht komme. Wir wissen natürlich beide und sie wahrscheinlich noch besser als ich, daß ich ihr ein derart teures Geschenk nie machen werde und kann. Aber eine Ahnung von Hoffnung darauf bleibt bestehen, und die wird sich nie auflösen, weil ich nicht kommen werde.

Marie

Ich wache auf mit Kopfschmerzen. Das ist normal. Und gut gelaunt. Weil ich alleine in meinem Bett liege. Und nicht neben einer alten Bundfaltenhose.

Ich versuche mich an den Abend zu erinnern. Ich bereue nichts. Da fällt mir der nette junge Mann ein, der mich zu meinem Fahrrad gebracht hat. Ich rufe Susan an, vielleicht kennt sie den und weiß seine Telefonnummer oder seinen Namen oder wenigstens, wo er wohnt. Susan weiß gar nichts und ist sauer auf mich. Sie sagt, sie nimmt mich nirgendwo mehr mit hin und ich hätte sie blamiert, vor allem vor Heinz. Ich sage ihr, daß sich Heinz selber am meisten blamiert hat und daß es für sie eine viel zu geringe Strafe ist, für das, was sie mir angetan hat. Und daß ich schwer hoffe, daß sie mich nirgendwo mehr mit hin nimmt und mich endlich in Ruhe läßt. Dann lege ich auf, während sie noch spricht. Der Tag fängt gut an.

Weil Mittwoch ist, gehe ich auf den Markt. Das mache ich sonst nie, aber heute ist ein besonderer Tag. Es gibt Kirschen und Melonen, und obwohl ich Kirschen so gerne esse, bin ich immer zu geizig, mir Kirschen zu kaufen. Mit Melonen ist es genauso. Für jeden Scheiß gebe ich Geld aus, und dann sind mir vier Mark für ein Pfund Kirschen zuviel. Genauso wie dreimarkfünfzig für einen Topf Basilikum. Weil heute ein besonderer Tag ist und mein Leben sich ändern wird, kaufe ich ein Kilo Kirschen und einen Topf Basilikum.

Ich stelle mir vor, wenn ich jetzt im Film wäre, würde ich beim Frühstück sitzen, und ich hätte nicht mein altes T-Shirt an und mir gerade im Gesicht rumgedrückt, das deshalb voller roten Flecken ist, sondern ich hätte zufällig ein supersexy Nachthemd an, das aussieht wie ein Kleid und einen rosigen Teint mit einem Hauch von Lippenstift. Dann würde es an der Tür klingeln, aber ich würde mir nichts dabei denken und auf den Türöffner drücken und die Haustür öffnen und zurückgehen an den Küchentisch, ganz gedankenverloren, um die anspruchsvolle Wochenzeitung, die auf dem Tisch liegt, weiterzulesen. Dabei würde ich mit dem Rücken zur Tür sitzen. Auf einmal würde ich spüren, wie mich jemand ganz sanft in den Nacken küßt. Ich würde aufspringen und ER würde da stehen. Die Arme voll mit den schönsten Blumen, die man sich vorstellen kann und auf den Lippen ein schiefes Grinsen, und er hätte vorne links eine Zahnlücke. Er würde mich in die Arme nehmen, und wir würden in einem Blumenmeer stehen und uns küssen. Die Kamera würde sich um uns drehen, und wir würden nie mehr auseinandergehen. Vorausgesetzt, der Film ist ein amerikanischer Film.

Wäre der Film eine deutsche Komödie, denn deutsche Filme über Männer und Frauen sind immer irgendwie Komödien, auch wenn sie nie lustig sind, würde ich mit meinem alten T-Shirt und roten Flecken im Gesicht, die davon kommen, daß ich immer so viel weine, weil ich einsam bin, am Küchentisch sitzen, Kirschen mit Basilikum essen und traurig aus dem Fenster schauen, in den grauen Hinterhof hinaus, weil der Film natürlich in Berlin spielen würde. Auf einmal würde ein Korb an einer Schnur vor meinem Fenster baumeln. Ich würde meinen

Augen nicht trauen. Ich würde das Fenster aufmachen, und in dem Korb wären Rosen, rote, und eine Flasche Champagner. Ich würde nach oben schauen, direkt in SEIN grinsendes Gesicht hinein. Oben links hätte er eine Zahnlücke und würde schon Jahre über mir wohnen, ohne daß ich ihn bemerkt hätte.

Weil ich aber in keiner deutschen Komödie bin und auch nicht in einem amerikanischen Film, passiert gar nichts. Nur das Telefon klingelt, und als ich rangehe, ist keiner dran.

Gloria

Marie hat mich versetzt. Sie sagt, sie hätte ganz vergessen, daß sie Susan schon vor langer Zeit versprochen
hatte, mit ihr auf diese Party zu gehen. Susan wollte da
nicht alleine hingehen, weil sie dort einen Mann treffen
wollte, der ihr schon ganz lange gefällt, und sie meint,
daß sie ihm auch gefällt. Deshalb soll Marie mit ihr mit-
gehen, weil das dann einfacher ist für Susan, den Mann
kennenzulernen, wenn sie mit Marie herumstehen kann
und lachen, als wenn sie alleine herumsteht. Das ist wahr.
Zu zweit geht alles leichter.

Mir macht das nichts aus, daß wir nicht ausgehen, weil
ich nur wegen Marie ausgegangen wäre, in erster Linie.
Ich bleibe zu Hause vor dem Fernseher, das habe ich
schon lange nicht mehr gemacht. Das ist ein gemütlicher
Abend, und im Grunde bin ich froh, daß ich nicht aus
dem Haus gehen muß, aber trotzdem fange ich irgendwann an, mich zu ärgern, daß Marie mir abgesagt hat, um
mit Susan zu dieser Party zu gehen. Ich ärgere mich immer mehr. Am meisten ärgere ich mich darüber, daß ich
mich über Marie und Susan ärgern muß, anstatt mir einen gemütlichen Abend zu machen. Lorenz kann mir
auch nicht helfen, weil der schon lange schläft. Er hat
Jimi ins Bett gebracht und ist dabei eingeschlafen. Das
macht er jedesmal. Am nächsten Morgen hat er deswegen
schlechte Laune und macht mir Vorwürfe, daß ich ihn
nicht aufgeweckt habe. Ich habe ihn aufgeweckt, aber da

hat er mich nur angegrunzt und wollte nicht aufstehen. Das glaubt er mir nie. Ich habe auch schlechte Laune, weil ich mich den ganzen Abend geärgert habe, anstatt mir einen gemütlichen Abend zu machen. Ich rufe Marie an, um ihr zu sagen, daß ich es blöd finde, daß sie, wenn wir uns verabreden, in letzter Minute absagt, um mit Susan auf eine Party zu gehen. Marie ist nicht zu Hause. Lorenz bringt Jimi in den Kindergarten, und ich lege mich wieder ins Bett. Das mache ich sonst nie, weil ich weiß, wenn ich mich wieder hinlege und schlafe, geht es mir noch schlechter, wenn ich wieder aufwache, und der Tag ist dann auch gelaufen. Ich schlafe und habe einen seltsamen Traum.

In dem Traum verliebte sich Thomas Kapielski in mich. Obwohl Thomas Kapielski ein wenig attraktiver, kleiner runder Mann ist, glaube ich, sah er in meinem Traum unglaublich gut aus. Freunde brachten mich in sein Haus. Die Wohnung war sehr ordentlich und voll mit merkwürdigen Dingen, die er sammelte. Darunter waren Angoraschlüpfer. Seine Exfreundin kam dazu, ein recht hübsches, aber reichlich überspanntes Mädchen. Sie sprang ständig herum, machte dabei *Buhhh* und *Ahhh* und wilde Grimassen. Das war albern, aber ich bewunderte ihre Anmut und die Gelenkigkeit ihrer Sprünge. Später las ich aus Kapielskis Buch vor. Die Exfreundin verbesserte jedes dritte Wort, das ich angeblich falsch aussprach. Anfangs war ich noch verunsichert, weil ich doch Kapielski nicht kränken wollte und dem Buch gerecht werden, doch bald war ich nur noch wütend, und ich schmiß der Kuh das Buch an den Kopf, schrie sie an, sie soll doch selber lesen und verließ den Raum.

Kapielski ging mir nach. Ich hatte ein schlechtes Gewissen, weil ich sein Buch falsch vorgelesen und es dann noch seiner Exfreundin an den Kopf geworfen hatte, aber er war furchtbar freundlich, entschuldigte sich für sie, meinte, sie würde noch so an ihm hängen, und alles, was er schreiben würde, das wäre für sie, als wäre es er selber oder so einen Unsinn. Dann schenkte er mir noch einen Angoraschlüpfer und bat mich, auf seine Ausstellung zu kommen. Eine Galerie in der Georg-Kalb-Straße, am Adenauerplatz, und vielleicht könnte ich ja auch mal da ausstellen. Das klang verlockend, und ich versprach es mir zu überlegen.

Weil das ein netter Traum war, habe ich gute Laune, wie ich wieder aufwache, obwohl ich vom Telefongeklingel aufgeweckt werde. Aber da war der Traum schon zu Ende. Marie ist am Telefon. Sie will sich meine Schreibmaschine ausleihen. Deshalb ruft sie an. Ich frage sie, wie der Abend war, und sie sagt, der Typ wär eine totale Pfeife gewesen und die Party todlangweilig. Sie wär dann auch schon bald gegangen und hätte sich mit Susan zerstritten. Mit der würde sie sich schon länger nicht mehr so richtig verstehen. Ich glaube, Marie erzählt mir nur deshalb, daß sie sich mit Susan nicht mehr versteht, weil ich das gerne höre und wir uns dann wieder besser verstehen. Deshalb sage ich, daß ich keine Zeit hätte, die nächsten Tage. Das scheint Marie nicht weiter zu bekümmern. Sie sagt, daß sie nur kurz vorbeikommen will, um die Schreibmaschine zu holen und legt auf. Jetzt habe ich wieder schlechte Laune, deshalb gehe ich zurück ins Bett und hoffe, daß ich noch einen schönen Traum haben werde. Den habe ich aber nicht.

Ich wache mit Kopfschmerzen auf. Wie immer, wenn ich zuviel geschlafen habe. Das Telefon klingelt wieder, und diesmal macht mir das gute Laune, weil nämlich der Martin dran ist. Der Martin ist mein ältester Freund, und obwohl wir uns so selten sehen, weil er in München wohnt und zwischendurch auch in London, auch mein bester Freund. Jetzt ist er in Berlin und will mich besuchen.

Ich suche mir etwas zum Anziehen heraus, das ist besonders wichtig, weil der Martin mich nur selten sieht und mich so in Erinnerung behält, wie er mich zuletzt gesehen hat. Das ist etwas anderes, als mit den Menschen, die einen täglich sehen. Da kann man auch mal einen schlechten Tag haben, und dann wissen die, daß ich gerade einen schlechten Tag habe, weil die wissen, wie ich an guten Tagen aussehe. Der Martin aber hat keinen Vergleich, weil er mich nur an einem Tag im Jahr sieht, und deshalb muß ich an diesem Tag so gut aussehen wie an meinen besten Tagen. Zudem liegt zwischen jedem Treffen eine lange Zeit, und wenn ich jetzt schlechter aussehe als beim letzten Mal, könnte er denken, daß es mit mir schon bergab geht. Deshalb muß ich bei jedem Mal, wenn wir uns sehen, besser aussehen als beim letzten Mal. Oder mindestens genauso gut.

Das ist nicht wegen dem Martin. Das ist so mit allen, die mich selten sehen. Schließlich tragen sie mein Bild in die Welt hinaus und treffen andere Menschen, die mich kennen und schon lange nicht mehr gesehen haben, und vielleicht sprechen sie dann über mich, und der, der mich schon lange nicht mehr gesehen hat, fragt den, der mich gerade besucht hat, und wie geht es der Gloria? Wie sieht sie aus? Und der andere sagt ihm das dann. Und der trägt es wieder weiter. Und dieses Bild bleibt bestehen, bis es vielleicht Jahre später wieder korrigiert wird.

Ich bin nicht besonders eitel, und es gibt sogar Tage oder Wochen, da ist es mir egal, wie ich aussehe und rumlaufe. Aber wenn mich jemand selten sieht, dann ist das etwas anderes, weil ich da mit meinem Äußeren meine ganzen Lebensumstände nach außen tragen muß, und dabei will ich gut dastehen. Das ist so. Gerade weil man immer älter wird und Angst hat vor dem Zeitpunkt, an dem man das unweigerlich sieht. Da will ich die Letzte sein, der man das ansieht, daß sie altert. Ich meine, Altern kann schon sein, aber mit dem Alter müssen andere Qualitäten dazu kommen, die das wieder ausgleichen. Und deshalb wird es mit zunehmendem Alter immer wichtiger, wie man sich kleidet. Und nicht umgekehrt, wie manche Menschen glauben.

Marie

Weil das Wetter so schön ist, nehme ich mir eine Decke mit und ein Buch und gehe in den Park. Unter einem Baum, schön im Halbschatten, lege ich mich auf die Decke und lese in meinem Buch. Der Tag ist so schön, wie sonst nur im Mai. Das Gras ist frisch und grün, die Sonne flimmert zwischen den Blättern hindurch, und die Luft ist so klar, daß man sie trinken will.

Sonst liegt noch niemand im Park herum, nur ein paar Kinder spielen im Gras. Eine dicke Frau steht mitten auf der Wiese, und um sie herum laufen die Kinder. Sie schreit abwechselnd *Feuer* oder *Wasser,* und bei *Feuer* legen sich die Kinder auf den Rücken und bei *Wasser* auf den Bauch. Ich schaue zu und denke mir, daß der Dicken ein bißchen Bewegung not tun würde und stelle mir vor, wie die Kinder die Dicke über die Wiese schicken und sie sich bei *Wasser* auf den Bauch schmeißt und bei *Feuer* auf den Rücken.

Dann lese ich von Thomas Bernhard *Wittgensteins Neffe.* Das ist ein Buch, das ich vor Jahren schon einmal gelesen habe und das zu den fünf besten Büchern gehört, die ich kenne. Ich hatte das Buch verliehen und nie wiederbekommen und konnte es deshalb nicht noch einmal lesen, was ich immer wieder gerne getan hätte. Und weil ich das Buch schon einmal gekauft habe und es auch schon kenne, wollte ich es nicht noch einmal kaufen.

Ich vertrinke an einem Abend lockere siebzig Mark,

und das kümmert mich kein bißchen, aber ich will keine zwölfmarkachtzig für ein Buch ausgeben, das ich schon kenne, so gerne ich es auch lesen würde. Das stimmt nicht ganz, weil das Buch, das ich damals verliehen habe, war eine gebundene Ausgabe, und die kostete um die dreißig Mark. Deshalb dachte ich immer, das Buch würde dreißig Mark kosten und habe es mir nicht gekauft. Neulich war ich dann in einer Buchhandlung, und da stellte sich heraus, daß es eine Taschenbuchausgabe von diesem Buch gibt. Und die habe ich dann gekauft. Für zwölfmarkachtzig. Aber jetzt, wo ich das Buch wieder lese, muß ich sagen, daß es sich auf jeden Fall lohnt, auch zweimal dreißig Mark für dieses Buch auszugeben. Weil man es jedes Jahr einmal lesen sollte.

Obwohl ich das nicht gerne mache, Bücher mehrmals lesen. Vielleicht hängt das damit zusammen, daß das Lesen Arbeit ist, und die macht man nicht gerne doppelt. Ich habe nämlich keine Probleme damit, Filme mehrmals anzuschauen. Neulich habe ich ein Buch gelesen, von dem ich geglaubt hatte, es schon einmal gelesen zu haben, aber ich konnte mich nicht mehr daran erinnern, weil ich immer alles ganz schnell vergesse und deshalb locker alle Bücher mehrmals lesen könnte. Weil ich also in dem Glauben war, das Buch zum zweiten Mal zu lesen, habe ich es eher lustlos gelesen. Obwohl mir alles neu war, was ich gelesen habe. Am Ende stellte sich heraus, daß ich das Buch noch nie gelesen hatte. Wenn ich das gewußt hätte, hätte ich das Buch mit großer Freude gelesen. So habe ich lustlos darin herumgelesen, weil nichts anderes da war zum Lesen.

Mit dem Bernhard-Buch ist es etwas anderes. Das lese ich mit großer Freude ein zweites Mal. Freudiger noch als beim ersten Mal, weil ich so oft an das Buch gedacht habe und mich nicht mehr richtig erinnern konnte und ganz gierig darauf war, es zu lesen. Vielleicht auch, weil ich es mir ein zweites Mal gekauft habe.

Nur im Freien liest es sich immer schlecht, deshalb lasse ich das Lesen sein und schaue in der Gegend herum, weil ich mich gar nicht satt sehen kann an diesem Sommertag. Dann muß ich auch schon los, zu Gloria, ihre Schreibmaschine holen, weil meine kaputt ist, seitdem ich sie Kerstin geliehen habe. Die behauptet, bei ihr wäre sie noch gegangen. Ich verleihe nie wieder was. An Kerstin schon gar nichts und Bücher erst recht nicht.

Ich kaufe für Gloria ihre Lieblingsschokolade, weil sie am Telefon so kurz angebunden war. Es tut mir leid, daß ich sie angelogen habe, weil ich ihr jetzt gar nicht die Geschichte mit der Bundfaltenhose erzählen kann. Die würde ihr gefallen. Es würde ihr auch gefallen, wenn sie wüßte, wie ich bestraft wurde für diese Lüge. Aber verzeihen würde sie mir die nicht. Nicht einmal für eine gute Geschichte.

Gloria

Der Martin legt sehr viel Wert auf Kleidung. Weil er viel Geld hat, kauft er sich auch immer die besten Stücke. Gucci-Hemden und alles von Helmut Lang. Da ist jedes einzelne Teil immer sehr schön, aber alles zusammen, so wie er es trägt, sieht aus wie nichts. Wenn man den Martin sieht, verliert man den Respekt vor teurer Kleidung. Und weil der Martin immer teure Kleidung trägt, die aussieht wie nichts, bin ich besonders sorgfältig in der Auswahl meiner Kleidung, die immer nach was aussieht, aber immer billig ist. Bis auf die Schuhe. Versteht sich. Und weil der Martin jemand ist, der auf Kleidung achtet, schaut er auch immer als erstes auf die Schuhe. Das machen nämlich alle, die denken, daß sie selbst gut gekleidet sind und darauf schauen, ob andere auch gut gekleidet sind.

Ich ziehe meine neuen Schuhe an. Dazu eine braune Hose und ein hellblaues Hemd und darüber den braunen Pullover. Das sieht sehr schön aus, das Hellblau mit dem Braun. Das habe ich erfunden, und jetzt sind die Läden voll mit Hellblau und Braun. Vor einem Jahr habe ich nach einem hellblauen Pullover gesucht. Die ganze Stadt bin ich abgelaufen und habe keinen gefunden, den ich zu meiner braunen Hose hätte anziehen können. Das ist immer so.

Der Martin ist viel jünger als ich. Früher war er immer zu jung, jetzt bin ich zu alt. Er trägt einen beigen Wollmantel von Helmut Lang, der aussieht, als hätte er ihn aus einem Altkleiderberg ausgegraben, nur daß sein Mantel wirklich gut sitzt. Er sieht gut aus in dem Mantel. Es stimmt gar nicht, was ich über ihn gesagt habe, daß alles, was er trägt, nach nichts aussieht. Er hat die gleiche Frisur wie dieses Fotomodell, dessen Name mir jetzt nicht einfällt und der Werbung für Hugo Boss macht. Österreicher ist der, glaube ich.

Ich bin überrascht, wie gut der Martin aussieht, weil ich ihn nie für gutaussehend gehalten habe, obwohl die Mädchen angeblich wie verrückt auf ihn stehen. Er hat immer feuchte kalte Hände, wahrscheinlich liegt es daran, daß ich ihn nie für gutaussehend gehalten habe. Außerdem hat er früher eine Brille getragen. Das tut er schon lange nicht mehr, trotzdem ist er für mich ein Brillenträger, und Brillenträger sind eine Kategorie für sich und fallen deshalb nicht in den Bereich gut aussehender Männer. Obwohl Lorenz auch eine Brille trägt. Aber nur manchmal und das ist was anderes als einer, der immer eine Brille trägt und den man nur mit Brille kennt. In einen richtigen Brillenträger habe ich mich noch nie verliebt. Auf die Idee käme ich gar nicht. So ist das auch mit dem Martin, auch wenn der schon lange keine Brille mehr trägt. Jetzt sieht er fast ein bißchen aus wie dieses österreichische Fotomodell. Werner Schreyer heißt der, glaube ich.

Er erzählt viele lustige Geschichten und redet wie immer viel über sich, auch weil er denkt, daß aus meinem Familienleben nichts zu berichten ist. Weil er höflich ist, fragt er nach einer Weile, was es Neues gibt, und ich erzähle ihm, daß ich schwanger bin. Das haut ihn um. Eigentlich wollte ich das gar nicht erzählen, aber weil er in einer Art fragt, die verrät, daß er nicht daran glaubt, daß es wirklich etwas Neues gibt in meinem Leben, erzähle ich ihm, daß ich schwanger bin, weil ich weiß, daß ihn das umhauen wird.

Manchmal denke ich daran, nicht nur zwei Kinder zu bekommen, sondern gleich drei oder vier. Nur um sie alle umzuhauen (nicht die Kinder versteht sich). Ein Kind macht man heutzutage, um später nicht ohne dazustehen. Zwei Kinder macht man, damit das eine nicht so alleine ist. Das ist wie mit den Wellensittichen, da kauft man am besten gleich zwei, weil einer allein so traurig ist. Ab drei Kindern wird es interessant, weil es dafür keinen vernünftigen Grund mehr gibt. Und bei vier Kindern greift man sich nur noch an den Kopf. Das finde ich gut. Nur austragen und aufziehen mag ich sie nicht. Der Martin findet schon zwei Kinder sensationell.

Dann kommt Marie, um die Schreibmaschine abzuholen. Sie bringt zwei Tafeln Rittersport Joghurt Lemon mit. Das ist meine Lieblingsschokolade und Maries auch, und der Martin sagt, daß das auch seine Lieblingsschokolade ist. Wir essen die Schokolade auf. Es kommt kein richtiges Gespräch zustande, und Marie geht bald wieder.

Marie

Gloria hat Besuch von Martin. Martin ist ein eingebildeter Kerl, der nur von sich spricht. Wir sitzen am Tisch
und essen Schokolade, dabei spricht er ununterbrochen,
und in regelmäßigen Abständen fallen die Worte Gucci,
Prada und Helmut Lang. Ungelogen, da kann man die
Uhr danach stellen. Ich wette, er selbst trägt auch nichts
anderes, obwohl das, was er anhat, nicht einmal besonders gut aussieht. Er erzählt von seinem Freund in München, der auch ein Freund von Gloria ist und einen Philo-
sophiedoktor und einen Porsche hat. Weil er einen Dok-
tor in Philosophie hat und manchmal Platten auflegt, darf
er mit seinem Porsche durch die Gegend rasen und sich
aufführen wie die letzte Sau und alle, besonders der Martin, finden das lustig und *total cool,* und auch Gloria lacht
begeistert. Das ertrage ich nicht und gehe. Gloria bringt
mich zur Tür und fragt, ob ich nicht mitkommen will,
heute abend würden sie zusammen ausgehen und das
wäre doch nett, wenn ich dabei wäre. Ich sage, daß ich
schon etwas anderes vorhabe, aber wir können später telefonieren. Gloria ist unangenehm aufgedreht und legt
den Arm um mich und sagt, wie froh sie wäre und wie
gerne sie mich hätte, und küßt mich. Da kapiere ich erst,
daß die beiden völlig drauf sind, und weil der Martin
wahrscheinlich die Taschen voll hat mit dem Zeug, sage
ich zu.

Weil es immer noch so schön ist draußen, gehe ich zu

Fuß nach Hause. Das hätte ich nicht tun sollen. Gerade weil ich überhaupt nicht mehr an ihn gedacht habe, kommt Paul aus einem dieser Häuser heraus. Ich gehe auf ihn zu, und in dem Moment, als ich vor ihm stehe und er mich sieht, kommt ein Mädchen aus der Tür, und er legt den Arm um sie. Dann sieht er mich, und ich stehe direkt vor den beiden und kann nicht mehr so tun, als hätte ich nichts gesehen.

Mit Paul habe ich ein paar schöne Abende verbracht. Mehr war nicht, hätte aber werden können. Darüber wurde nie gesprochen, weil ich auch immer so getan habe, als wäre ich nicht besonders interessiert. Das habe ich getan, damit er sich mehr für mich interessiert und nicht, damit er sich um eine andere bemüht. Das war falsch. Ich hätte ihn anrufen sollen und sagen, daß ich ihn wiedersehen will, am besten jeden Tag, daß er mir gefällt und er vielleicht der Richtige ist. Zu spät.

Auf einmal bin ich mir ganz sicher, daß Paul der Richtige gewesen wäre, wie er so vor mir steht, mit dem Arm um dieses Mädchen. Das sieht so richtig aus. Nur das Mädchen nicht. Paul freut sich, mich zu sehen. Ihm ist das gar nicht unangenehm, und ich hoffe, daß das, was er im Arm hält, vielleicht nur seine Schwester ist oder Kusine oder eine alte Jugendfreundin. Er stellt uns vor. Sie heißt Roswitha, ungelogen, und er sagt nicht dazu, das ist meine Schwester oder Kusine oder Jugendfreundin. Er sagt nur, das ist Roswitha, und zu ihr sagt er, und das ist Marie, eine Freundin von Gloria. Das Mädchen sieht noch dazu richtig nett aus. Sie scheint Gloria zu kennen und gibt mir die Hand. Wir verabschieden uns. Ich gehe in die andere Richtung, weil ich ihnen nicht auch noch hinterherlaufen will, wie sie so schön und einig die Straße hinuntergehen. Wahrscheinlich haben sie die Nacht miteinander verbracht, und jetzt gehen sie in ein Frühstückscafé und sitzen in der Sonne und füttern sich gegenseitig mit allerlei Leckereien. Ich fühle mich so mies wie selten zuvor in meinem Leben. Obwohl ich gerne heulen würde, kommen keine Tränen. Meine Augen sind heiß und trocken, als hätte ich schon zuviel geweint in diesem Leben und keine Tränen mehr. Der schöne Maientag ist eine einzige Ohrfeige.

Zu Hause rufe ich sofort Gloria an, um sie nach dieser Roswitha zu fragen, eine winzige Hoffnung besteht immerhin. Da fällt mir ein, daß die zugekokst am Küchentisch sitzt mit diesem Martin, und als sie rangeht, lege ich wieder auf. Ich ziehe die Vorhänge zu und lege mich vor den Fernseher. Ich versuche mich an Momente in meinem Leben zu erinnern, die noch schlimmer waren, als das, was ich gerade erlebt habe.

Ich denke, wenn ich an etwas richtig Schlimmes denke, dann kommt mir das, was ich gerade erlebt habe, gar nicht mehr so schlimm vor. Aber mir fällt nichts ein. Nicht einmal das mit meinem Onkel im Krankenhaus fällt mir ein, und das war wirklich schlimm. Ich versuche, an besonders glückliche Momente zu denken, um das Schlimme, das ich gerade erlebt habe, zu vergessen, aber da fällt mir auch nichts ein. Mein Kopf ist leer und hohl. Nur Paul und Roswitha dröhnen darin herum.

Ich schaue mir einen Film an über eine Krankenschwester. Die arbeitet in einem Hospital für alte Leute, die nicht mehr wissen, wer sie sind und woher sie kommen. Diese Krankenschwester ist so unglaublich lieb zu den verlorenen Alten, die manchmal weinen wie kleine Kinder. Wenn sie mit ihnen redet, streichelt sie ihnen über den Kopf oder hält ihre Hand, und manchmal hören sie zusammen Musik. Dann sitzen die Alten ganz still auf ihren Stühlen, und ein Leuchten liegt auf ihren Gesichtern. Manchmal tanzt sie auch mit ihnen. Das macht sie genauso aufmerksam und respektvoll, wie sie mit ihnen spricht.

Früher hat sie Ballett getanzt, aber sie sagt, sie war nicht gut genug, weil sie immer nur daran gedacht hat, alles richtig zu machen und nie eins wurde mit der Musik, vor lauter daran Denken. Jetzt will sie als Krankenschwester alles richtig machen, aber das geht nicht. Das ist unmöglich. Das zerreißt sie, und sie will sich das Leben nehmen. Der Film gibt mir den Rest, und endlich kann ich heulen. Ich heule, bis ich nicht mehr kann, und dann schlafe ich ein.

Ich wache auf, weil das Telefon klingelt. Da ist es schon dunkel. Das Telefon hört nicht auf zu klingeln. Es ist Gloria. Ich bin froh, ihre Stimme zu hören. Weil ich nicht mehr alleine in meiner dunklen Wohnung herumliegen will, verabreden wir uns. Ich stehe auf und merke, daß es deshalb so dunkel ist, weil die Vorhänge zugezogen sind. Ich mache die Fenster auf, und draußen ist ein goldener Sommerabend. Die Luft ist warm und duftet, und auf einmal durchstrahlt mich ein Glück, obwohl ich gar keinen Grund dafür habe.

Gloria

Wir beginnen den Abend im Kumpelnest. Der Martin will da erst nicht hingehen, weil er sagt, da wären nur einsame alte Männer, und wenn er ausgeht, dann will er schöne Frauen sehen und keine einsamen alten Männer. Ich sage ihm, daß er mit Marie und mir ausgeht, da hat er schöne Frauen genug, und außerdem ist es viel zu früh, um dort hinzugehen, wo er hin will. Das sieht er ein.

Als wir ankommen, ist es noch früh, und die Fensterplätze sind frei. Das ist die wichtigste Voraussetzung für einen gelungenen Abend im Kumpelnest. Wenn man erstmal die Fensterplätze hat und die Musik stimmt, und die stimmt meistens, kann man bleiben, die ganze Nacht, und muß nirgendwo sonst mehr hingehen. Der Martin weiß das noch nicht, daß wir hier den ganzen Abend verbringen werden. Der ist immer getrieben. Rennt von einem Club zum nächsten. Steht in dem einen und denkt daran, wie in dem anderen gerade die Post abgeht. Rennt dahin und zum nächsten, weil nirgendwo so richtig die Post abgeht. Kann auch gar nicht. So einen Abend muß man im Griff haben. Da muß man von Anfang an dabei sein. Die besten Plätze haben an der Bar. Das Lokal überblicken. Und keiner kann einem zu nahe kommen. Weil man im Rücken das Fenster hat, vor sich die Bar und links und rechts neben sich die guten Freunde. Bessere Voraussetzungen für einen gelungenen Abend findet man nicht. Wenn einem danach ist, kann man sich auch ins Gewühle stellen oder tanzen, aber wenn man genug hat, kehrt man wieder zurück auf seinen Platz. Und trotzdem hat man immer alles im Blick. Man sieht die Leute kommen und gehen. Man kann ihnen sogar durch das Fenster hinterherschauen. Das ist großartig. Das muß der Martin nur noch kapieren. Der ist jetzt aber still und zufrieden, weil die Musik stimmt und die Bedienung hübsch ist. Das ist sie nicht. Ich sage ihm, daß er sich ein bißchen um Marie kümmern soll, weil die so traurig geklungen hat am Telefon und so still war heute morgen.

Der Martin fragt die Bedienung, ob sie mit ihm aufs Klo geht, zum Schnubbeln. Das tut sie zum Glück nicht. Ich auch nicht, weil das in meinem Zustand nicht gut ist, glaube ich. Lust hätte ich schon. Dann würde ich weniger trinken, und es ist bestimmt weniger schädlich als Alkohol. Ich sage, daß wir auf Marie warten müssen, weil das blöd ist, wenn man sich verabredet und wenn man kommt, sind die anderen schon vollgeschnubbelt. Das sieht der Martin ein. Wir trinken Bier und ziehen über die Männer her, die an der Bar sitzen. Viele sind es noch nicht. Einer kommt und möchte sich neben uns auf die Bank setzen. Den schauen wir an, als ob er sie nicht alle hätte, und schicken ihn weg. Endlich kommt Marie. Sie sieht gut aus, aber irgendwie verheult. Wir setzen sie in die Mitte, zwischen uns, und der Martin macht einen richtig netten Witz, und da muß sie auch lachen.

Viele mögen den Martin erstmal nicht, weil er so laut ist und immer spricht und über alles herzieht mit einem ziemlich derben Humor. Da könnte man meinen, er wäre ein eingebildeter Arsch, völlig von sich überzeugt, aber das ist er gar nicht. Der Martin ist ein großzügiger und großmütiger Mensch, der einen Abstand zu sich hat, wie sonst kaum einer. Und weil er diesen Abstand hat, redet er so. Und darf das auch. Er redet so, wie einer, der glaubt so zu reden wie der Martin, und weil er ihm nicht gut gesonnen ist, dabei völlig übertreibt, in der Art wie er redet. Ich meine, der Martin redet, als wäre er eine schlechte Karikatur von sich selbst. Das muß man erstmal durchschauen. Und wenn man das kapiert hat, dann fängt man an ihn zu mögen. Dann muß man ihn mögen. Das erkläre ich der Marie, während der Martin auf dem Klo ist zum Schnubbeln. Der einzige Fehler vom Martin ist, daß er zuviel schnubbelt. Daß man mit ihm keinen Abend ohne Schnubbeln verbringen kann. Weil ich ihn so selten sehe, ist das nicht schlimm. Da ist es sogar völlig in Ordnung, weil es immerhin was zum Feiern gibt, wenn wir uns einmal im Jahr sehen.

Der Martin kommt wieder, und jetzt gehe ich mit Marie aufs Klo. Marie erzählt mir von Paul und Roswitha. Das heißt, ich muß es ihr aus der Nase ziehen. Ich habe mir schon gedacht, daß irgendwas nicht in Ordnung ist mit ihr. Das ist eine blöde Geschichte, aber so schlimm auch wieder nicht, weil wenn er der Richtige gewesen wäre, dann hätte sich das schon längst rausstellen müssen, und dann wäre heute Marie und nicht Roswitha mit ihm aus dem Haus gekommen. Weil das nicht so war, kann er gar nicht der Richtige sein. Das versteht sie erst nicht, aber ich sage ihr, daß man den Richtigen immer gleich erkennt. Vielleicht nicht sofort, es muß nicht die Liebe auf den ersten Blick sein. Es kann auch sein, daß man den Richtigen erst gar nicht wahrnimmt oder sogar blöd findet, aber wenn man dann merkt, daß er der Richtige sein könnte, dann geht es immer ganz schnell. Dann greift das ineinander wie zwei Zahnräder. Die können gar nicht anders, als sich gemeinsam drehen, wenn sie erstmal ineinandergegriffen haben. So ist das auch mit dem Richtigen. Ich weiß das, weil ich zweimal den Richtigen getroffen habe. Da war das so. Und bei den anderen, von denen ich dachte, daß sie die Richtigen hätten sein können, war das nicht so. Und die waren dann auch nicht die Richtigen. Und deshalb ist der Paul auch nicht der Richtige für Marie. Vielleicht ist er der Richtige für Roswitha, und wenn das so ist, ist das nicht schlimm, weil er dann nicht der Richtige für Marie sein kann. Das ist vielleicht traurig, aber damit kann man leben. Das muß sie zugeben.

Jetzt geht es ihr auch schon besser, mit dem Schnubbel in der Nase, wir malen uns die Lippen nach und gehen zurück zum Martin. Der gräbt schon wieder die Bedienung an, und sie hat ihm sogar einen Wodka ausgegeben, um ihn loszuwerden. Sonst ist noch niemand da, den wir kennen. Marie und ich schauen uns die Männer an. Am Ende der Bar sitzt einer, der ziemlich gut aussieht und ständig zu uns rüberschaut. Ich sage zu Marie, sie soll mal aufstehen und fragen, was er will, und sie steht tatsächlich auf und geht zu ihm hin. Er sieht sogar sehr gut aus und auch nett. Marie steht jetzt neben ihm, und die beiden lachen ständig, dabei sieht er noch netter aus. Marie kommt gar nicht mehr wieder. Jetzt kann ich die beiden auch nicht mehr sehen, vielleicht sind sie tanzen gegangen. Der Martin ist schon völlig blau, von den vielen Wodkas, die ihm die Bedienung ständig ausgibt, damit er endlich umfällt und sie in Ruhe läßt. Marie taucht nicht mehr auf. Ich gehe noch einmal aufs Klo. Da ist sie auch nicht. Auch nicht auf der Tanzfläche. Der Martin liegt auf der Bank und schläft, und ich gehe nach Hause.

Marie

Ich brauche ewig vor dem Spiegel, bis ich einigermaßen aussehe und man mir die Heulerei nicht mehr ansieht. Ich bin zu spät, aber das macht nichts, weil die beiden zu zweit sind und nicht auf mich warten müssen. Ich kann sie von draußen sehen, wie sie auf den Königsplätzen sitzen. Sie trinken Bier und unterhalten sich. Ich bleibe draußen vor dem Fenster stehen und schaue ihnen zu. Auf einmal werde ich ganz mutlos, ich weiß auch nicht warum, und will nicht mehr hineingehen. Die beiden sehen so einig aus, wie sie nebeneinander auf der Bank sitzen, und ich denke, alle sind zu zweit, nur ich bin immer alleine, und ich könnte sofort wieder losheulen, so einsam fühle ich mich plötzlich. Da dreht sich Gloria um und sieht mich. Sie lacht und winkt und freut sich richtig, mich zu sehen. Ich lache und winke zurück und bin froh, daß sie da sitzt mit Martin und auf mich wartet. Ich schließe mein Fahrrad an und gehe hinein. Die beiden nehmen mich in ihre Mitte und sind so nett und aufmerksam zu mir, als wüßten sie, wie es um mich steht. Sogar der Martin ist nett und macht einen Witz, über den ich auch lachen kann. Dann geht er aufs Klo. Ich bin froh, daß die beiden auf mich gewartet haben und nicht schon bis obenhin voll waren, als ich gekommen bin. Das hätte ich nicht ertragen. Der Martin kommt zurück, und Gloria und ich sind an der Reihe. Auf dem Klo fragt mich Gloria, was mit mir los ist, und ich erzähle ihr die Geschichte von Paul und Roswitha, obwohl ich heute Abend nicht darüber reden wollte. Gloria hält mir einen Vortrag über den Richtigen, aber ich höre ihr nicht zu, weil mir jetzt das Zeug mein Gehirn putzt, und ich fühle mich klar und rein. Wir gehen zurück auf unsere Plätze, und ich fühle mich wie eine Königin. Über allen. An der Bar sitzt dieser Typ und schaut mich an. Die ganze Zeit. Gloria sagt, ich soll ihn fragen, was er will, und ich stehe auf und gehe zu ihm hin, weil ich auch wissen will, was er will, und außerdem gefällt er mir. Es ist so, daß ich gar nicht darüber nachdenke, was ich mache und was der darüber denken könnte, daß ich zu ihm hingehe und ihn frage, was er will. Ich mache das, weil es mir so richtig vorkommt, weil ich gar nicht anders kann. Deshalb stehe ich auf und gehe zu ihm hin. Ganz leicht. Ich frage ihn, was er will, und erst schaut er mich erschrocken an und dann lacht er. Ich lache auch, und wir lachen zusammen eine ganze Weile. Es ist so, als würden wir jeden Abend hier stehen und lachen, seit Jahren. Er bestellt uns was zu trinken, und wir reden, ich weiß nicht was, dann gehen wir tanzen. Es ist heiß und wir gehen hinaus. Beim Hinausgehen sehe ich Martin, wie er über dem Tresen hängt, Gloria ist weg. Draußen ist es klar und warm. Wir lehnen uns an die warme Wand und schauen in den Himmel. Mir fällt auf, daß ich ihn noch gar nicht nach seinem Namen gefragt habe, weil mir so ist, als würden wir uns schon immer kennen. Ich glaube, er heißt Hans. Ich sage *Hans*, und er dreht den Kopf zu mir und schaut mich an. Ich schaue zurück, und dann küssen wir uns. Dann wollen wir schwimmen gehen. Hinausfahren an einen See. Wir fahren zu Hans, um Decken zu holen und Handtücher.

Wir sitzen in der U-Bahn, und auf einmal ist der Zauber weg. Wir sitzen in der U-Bahn, wie zwei in der U-Bahn sitzen, die sich gerade kennengelernt haben und jetzt zu dem einen nach Hause fahren. Ich will was sagen, aber mir fällt nichts ein. Ich nehme seine Hand, weil ich mir plötzlich so verloren vorkomme, aber in dem Moment, als ich seine Hand greifen will, nimmt er sie weg, und ich greife ins Leere. Endlich hält die U-Bahn, und wir steigen aus und laufen. Im Laufen wird mir wieder wohler. Er hat seinen Arm um mich gelegt, und draußen ist wieder die warme Nacht, die uns beschützt. Ich komme mir vor wie ein Ei, das die Straße runterrollt, so sehr fürchte ich auf einmal, daß was kaputtgeht. Wir gehen den Kanal entlang. Er wohnt am Kanal. Er macht die Fenster weit auf, und das Wasser klatscht leise gegen die Mauer. Wir sitzen da und sagen nichts und hören zu, wie das Wasser gegen die Mauer klatscht. Ganz ruhig und gleichmäßig. Davon werde ich schläfrig, und die Augen fallen mir zu. Hans weckt mich vorsichtig und fragt, ob ich schlafen will. Das will ich. Er schiebt das Bett vor das offene Fenster. Ich ziehe mich nur ein bißchen aus und lege mich ins Bett. Hans deckt mich zu mit einer Decke, und dann legt er seinen Arm um mich und deckt sich mit der anderen Decke zu. Ich bin froh darüber, und gleichzeitig beunruhigt es mich, daß er zwei Decken hat und so ein großes Bett. Darüber will ich aber nicht nachdenken. Es ist so friedlich, und ich stelle mir vor, daß wir schon seit Jahren jede Nacht nebeneinander in diesem großen Bett liegen, jeder unter seiner Decke, und das Wasser klatscht leise gegen die Wand und klatscht uns in den Schlaf. Ich kann nicht einschlafen, weil mich sein Arm drückt, aber ich wage es nicht, mich zu bewegen. Irgendwann, als er schon schläft, rolle ich mich aus seinem Arm, und dann schlafe ich auch ein.

Gloria

Es ist schon Viertel nach neun, und ich bin schon wieder zu spät. Ich schiebe Jimi in seinem Buggy die Straße entlang. Hetze mich ab, weil ich schon wieder zu spät bin und diese dumme Kindergärtnerin gesagt hat, wenn ich wieder zu spät komme, kann ich Jimi gleich wieder mitnehmen, weil das würde das soziale Gefüge stören, wenn einer immer zu spät kommt, oder so einen Blödsinn. Trotzdem bleibe ich an der roten Ampel stehen, obwohl die Straße frei ist und wir zu spät sind. Weil ich ihm blöderweise irgendwann erklärt habe, daß es ein rotes Männchen gibt, bei dem man warten muß, und wenn das grüne Männchen kommt, kann man gehen. Das habe ich nur getan, um ihm die Wartezeit an der Ampel zu verkürzen und um zu testen, ob er Rot-Grün-blind ist. Das ist er nicht, und jetzt schreit er jedesmal, wenn ich bei Rot über die Ampel gehen will.

Neben mir, auf der Straße, warten die Autos darauf, daß die Ampel grün wird. Ich schaue mir die Autos an, und mir fällt ein BMW auf, weil aus dem offenen Fenster laute Musik kommt. In dem BMW sitzt ein Mädchen und singt laut mit. Sie hat eine Sonnenbrille auf und gutgeschnittene kurze Haare. Sie sieht sehr flott aus, in ihrem dunkelblauen BMW, der hat sogar einen Spoiler hinten. Frauen dürfen das, Autos mit Spoiler fahren. Sogar BMWs mit Spoiler. Das sieht so cool aus, eine flotte junge Frau in einem dunkelblauen BMW mit Spoiler. Das sieht so was von selbständig aus und das Leben in der Hand haben. Ich stehe da mit einem blöden Buggy in der Hand, und die hat das Leben in der Hand. Ich kann nicht einmal Auto fahren. Deshalb bewundere ich alle Frauen, die Auto fahren können. Besonders Frauen in großen oder schnellen Autos. Ich stelle mir vor, wie ich in einem BMW sitzen würde. Mit Kindersitz. Das sieht so überhaupt nicht cool aus. Kindersitze in Autos sehen nach patenter Mutter aus, die ihre Kinder im Griff hat und nicht wie eine, die das Leben in der Hand hält. Ich müßte dann jedesmal, bevor ich alleine mit meinem BMW losfahre, erstmal den Kindersitz nach oben tragen. Darauf habe ich auch keine Lust. Ich hätte einfach keinen Kindersitz, weil Kindersitze sind genauso häßlich wie Fahrradhelme. Ich würde am Steuer sitzen mit einer Sonnenbrille und kurzgeschnittenen Haaren, das Radio wäre an, und ich würde laut mitsingen, und Jimi würde auf dem Rücksitz rumturnen, und ich müßte nicht auf die Ampel achten, sondern könnte in der Gegend rumschauen, weil er immer grün brüllen würde, wenn die Ampel grün wird. Das wär cool.

Jetzt brüllt er grün, und ich schiebe den blöden Buggy über die Straße zu dem blöden Kindergarten. Die blöde Kindergärtnerin, die mir das letzte Mal gedroht hat, ist nicht da. Die andere sagt nichts, und Jimi darf dableiben und frühstücken. Ich gehe zum Frühstücken ins Café. Neben mir sitzt eine kleine häßliche Frau, und sie hat genau die Sonnenbrille von Gucci auf dem Kopf, die ich haben will und mir nicht leisten kann. Das gibt mir den Rest.

Ich gehe zum Friseur und lasse mir die Haare ganz kurz schneiden. Mit meiner neuen Frisur gehe ich in den

Brillenladen und probiere die Sonnenbrille an. Weil ich noch einen Scheck für solche Notfälle im Geldbeutel habe, kaufe ich mir die Brille, und jetzt sehe ich richtig cool aus, wie ich mit meiner neuen Frisur und der Sonnenbrille den leeren Buggy nach Hause schiebe. Stelle ich mir so vor.

Marie

Ich hasse es, neben jemandem aufzuwachen, den ich nicht kenne. Noch dazu verkatert und mit einem miesen Geschmack im Mund. Das ist so privat, aufzuwachen, und dann liegt man mit einem Fremden im Bett, und damit das nicht peinlich ist, daß man so fremd am Morgen nebeneinander im Bett liegt, tut man so, als wäre das schön, und nicht peinlich. Die Morgenlatte, der Mundgeruch und die verklebten Gesichter.

Ich denke mir, daß ich froh bin darüber, daß wir keinen Sex hatten und daß er auch keinen will, bevor ich mir die Zähne geputzt habe. Er schläft nämlich noch. Ich stehe auf und gehe ins Bad. Das Bad ist sauber, und es liegen keine Haarspangen oder Lippenstifte oder ähnliches herum, was Frauen in Bädern liegen lassen. Dafür hat er drei Zahnbürsten. Mit einer von den drei Zahnbürsten putze ich mir die Zähne. Immerhin sehe ich besser aus, als ich mich fühle. Das ist meistens so. Wenn ich richtig verkatert bin, sehe ich frisch und rosig aus. Das kommt wahrscheinlich von der vielen Flüssigkeit. Erst am nächsten Tag, wenn es einem dann besser geht, sieht man schlecht aus. Mit grauer Haut und Ringen unter den Augen. Ich schnüffle noch ein bißchen unauffällig in der Wohnung rum. Das heißt, ich werfe einen kurzen Blick auf die Post, die auf dem Tisch herumliegt, nur so im Vorbeigehen, weil er jeden Moment wach werden könnte und vielleicht sogar schon wach ist und sich schlafend stellt, um herauszufinden, ob ich in seiner Wohnung herumschnüffle. Wenn er dann sieht, daß ich das tue, denkt er sich, ich wäre neugierig und mißtrauisch und alles, was eine Frau nicht sein soll. Deshalb werfe ich beim Vorbeigehen nur einen kurzen Blick auf die Post. Genug, um zu sehen, daß Hans nicht Hans heißt, sondern Wolfgang. Wolfgang Schäfer. Ich überlege kurz, ob ich schnell hinausgehen soll. Um uns das peinliche Aufwachen zu ersparen. Vielleicht stellt er sich sogar schlafend, um mir die Gelegenheit zu geben, zu gehen, bevor er aufwacht. Er sieht auch im Schlaf gut aus. Ich lege mich zu Wolfgang Schäfer ins Bett und schlafe nochmal ein.

Ich wache auf und liege alleine im Bett. Das Fenster ist immer noch auf, und die Sonne scheint mir mitten ins Gesicht. Aus der Küche höre ich ein Klappern, und es riecht nach Kaffee. Ich stelle mir vor, wie er gleich an das Bett kommt, frisch gewaschen und rasiert, mit einem Tablett in der Hand und Frühstück drauf. Ich stelle mich schlafend und höre, wie er kommt und sich auf das Bett setzt. Er küßt mich auf die Backe, und ich tue so, als würde ich davon aufwachen. Wie ein kleines Mädchen. Früher habe ich mich immer schlafend gestellt und wie Dornröschen ins Bett gelegt. Mit dem Ohr auf den zusammengelegten Handflächen. Ich habe mir immer vorgestellt, wie wunderschön und friedlich das aussieht. Wie eine schlafende Prinzessin.

Er ist frisch gewaschen und rasiert. Er sagt, das Frühstück ist fertig, und sieht so was von nett dabei aus. Auf einmal ist die ganze Fremdheit weg und meine Angst, daß was danebengeht. Ich hebe die Decke hoch, und er legt sich zu mir unter die Decke. Wir küssen uns, und dann machen wir wild rum. Er hat einen schönen runden

Kopf mit ganz kurzen weichen Haaren drauf. Seine Haut ist weich und riecht gut. Wenn er mich küßt, hält er mein Gesicht mit seinen Händen fest, wie die richtigen Männer in den Filmen. Danach frühstücken wir und verbringen den Tag zusammen. Wie ein Liebespaar. Am Abend gehe ich dann doch nach Hause, weil ich denke, daß das besser ist. Das ist blöd, aber wahrscheinlich besser so. Er ist traurig, daß ich gehe, aber nicht sehr. Er sagt, ich soll ihm versprechen, daß ich ihn morgen anrufe, weil, er kann das nicht mit dem Anrufen. Das sagt er mir deshalb gleich, daß ich ihn anrufen soll, damit ich nicht etwas Falsches denke, wenn er nicht anruft. Ich weiß nicht, was ich davon halten soll.

Gloria

Ich erinnere mich an die Zeiten, als ich keinen Freund hatte und einen gesucht habe. Keinen Freund, keine anderthalb Kinder und jede Nacht unterwegs. Oft verzweifelt und unglücklich, aber immer das pralle Leben. So wie man sich das vorstellt, als junger Mensch. Nicht so, wie es wirklich ist.

Das pralle Leben, so wie es wirklich ist, das habe ich jetzt. Mit dem Kind und dem Mann. Meiner Familie. Da kann man keinen Tag einfach mal auslassen, so wie man das früher gemacht hat. Wenn alles zuviel wurde, hat meine eine Runde ausgesetzt. Man hat sich ins Bett gelegt und ist erst wieder aufgestanden, wenn man wieder dazu in der Lage war. Das war auch anstrengend und leidvoll, weil man meistens voller Selbstmitleid im Bett lag und sich über das eigene Leid viele Gedanken gemacht hat, aber man hatte immerhin die Wahl. Die habe ich nicht mehr. Ich würde auch gerne an manchen Tagen heulend im Bett liegen. Voller Selbstmitleid und Schokolade. Für niemanden zu sprechen. Zurückgezogen von der Welt und dem prallen Leben. Das geht nicht mehr.

Nur weil es einem besser geht als den meisten, weil man glücklich ist und einen wunderbaren Mann hat und ein reizendes Kind, geliebt wird und die liebt, heißt das noch lange nicht, daß es einem besser geht. Genau so wenig, wie es einem besser geht, wenn man in Italien ist oder sonst wo, wo es warm und schön ist. Das stellt man sich immer nur vor: Wenn ich jetzt am Meer wäre und es wäre warm und die Sonne würde scheinen und ich hätte die Nase voll mit mediterranen Gerüchen, dann würde es mir besser gehen.

Das ist Unsinn. Natürlich ist es schöner, wenn man wo ist, wo es schöner ist. Dann sitzt man abends am Meer, und die Sonne geht unter, glutrot, und man denkt sich, mein Gott ist das schön, eigentlich müßte es mir viel besser gehen, weil das hier so schön ist. Das redet man sich ein, aber besser geht es einem deshalb noch lange nicht. Weil man immer der gleiche Mensch bleibt. Egal wo man ist. Das will man nur nicht zugeben, weil es so schön ist. Da will man daran glauben, daß es einem besser geht. Aber die inneren Zustände sind die gleichen geblieben, da ändert die Umgebung nichts daran. Auch wenn sie noch so schön ist. Das gibt nur keiner zu. Deshalb kann ich auch mal unglücklich sein, obwohl ich keinen gültigen Grund dafür habe, wie einer, der im schönen Italien unglücklich sein darf, obwohl es da so schön ist. Ich möchte heute unglücklich sein, verzweifelt und im Bett liegen bleiben mit Schokolade und Fernsehen. Nicht ans Telefon gehen und mit niemandem reden, bis ich mich wieder erholt habe. Von was auch immer. Das ist ein viel anstrengenderes Leben, das ich führe, nämlich ein glückliches, als ein unglückliches.

Marie

Natürlich rufe ich ihn nicht an. Nicht am nächsten Tag. Das habe ich mir vorgenommen. Wenn ihm was daran liegt, dann soll er anrufen. Ich finde, Männer sollen Frauen anrufen. Nicht umgekehrt. Zumindest erstmal. Später ist das egal. Und schon ruft er an. Es ist nicht Hans oder Wolfgang, sondern Martin. Das wundert mich. Er sagt, er wollte sich entschuldigen, weil er so betrunken war, und das wäre sonst gar nicht seine Art, wenn er mit zwei Damen ausgeht, betrunken über dem Tresen einzuschlafen. Das wäre ihm sehr peinlich, und deshalb wollte er sich entschuldigen. Das ist wirklich nett von ihm, und deshalb verspreche ich ihm auch, unser Ausgehen zu wiederholen, damit er sich dann von einer besseren Seite zeigen kann, wie er sagt. Das ist mir gerade recht, weil ich dann ausgehen kann und Spaß haben, anstatt hier zu Hause auf einen Anruf zu warten, der doch nicht kommt.

Ich sitze rum und denke nach. Über gestern und die Liebe und Wolfgang Schäfer. Auch über das, was Gloria über den Richtigen gesagt hat. Ich denke darüber nach, ob Wolfgang Schäfer der Richtige ist, weil es so aussieht, als könnte er es ein. Ich bin es leid, immer über den Richtigen nachzudenken, deshalb höre ich damit auf und mache mir etwas zu essen. Wenn er der Richtige wäre, dann wäre er jetzt hier, oder ich bei ihm, oder wir hätten schon dreimal miteinander telefoniert, und dabei hätte es keine Rolle gespielt, wer wen angerufen hätte. Das steht ganz klar vor mir, aber trotzdem kann ich nicht aufhören, mir darüber Gedanken zu machen. Ich rufe ihn an, weil ich mir denke, daß ich auch nicht besser bin als er, wenn ich jetzt nicht anrufe, und vielleicht denkt er sich, wenn sie die Richtige ist, ruft sie an, und wenn nicht, dann ist sie nicht die Richtige, sondern so eine, die nur nicht anruft, weil sie denkt, daß die Männer die Frauen anrufen sollen und nicht umgekehrt, und nicht tut, was ihr das Herz sagt. Deshalb tue ich, was mir mein Herz sagt, und rufe ihn an. Er ist nicht zu Hause, nur sein Anrufbeantworter spricht mit mir. Ich rufe dreimal an, um seine Stimme zu hören, und lege wieder auf. Ich will nicht auf das Band sprechen, weil ich dann darauf warten müßte, daß er zurückruft, und das will ich nicht. Da fällt mir ein, daß er gesagt hat, daß ich ihn am Abend anrufen soll, weil er nicht vor sechs Uhr zu Hause ist. Das ist blöd, weil ich ihn später nicht anrufen kann, weil ich mich mit Martin verabredet habe, und ich habe keine Lust, ihn von unterwegs aus der Telefonzelle anzurufen. Deshalb rufe ich ihn nochmal an, und diesmal spreche ich auf das Band, um ihm zu sagen, daß ich heute abend nicht zu Hause bin und ihn deshalb auch nicht anrufen kann. Dann hat er meine Stimme auf seinem Anrufbeantworter und kann sie immer wieder anhören. Außerdem denkt er dann nicht, daß ich ständig bei ihm angerufen und wieder aufgelegt habe.

Das ist überhaupt die beste Lösung. Ich habe ihn angerufen, aber nur, um ihm zu sagen, daß ich keine Zeit habe für ihn. Das ist mordssouverän. Dafür könnte ich den Martin küssen. Das wäre mir selber gar nicht eingefallen. Jetzt sieht es nämlich so aus, als wäre ich nicht eine, die nicht anruft, weil sie meint, der Mann müßte anrufen, oder weil sie sich nicht traut, aber auch nicht so, als hätte ich gleich angerufen, weil ich nichts Besseres zu tun habe, sondern nur darauf gewartet habe, daß ich einen Mann kennenlerne, den ich ständig anrufen und dem ich auf die Nerven gehen kann. *Klammern* nennt man das, und das können Männer gar nicht leiden. Sondern es sieht so aus, daß ich keine Probleme damit habe, einen Mann anzurufen, aber auch genug anderes zu tun habe. Das heißt, daß ich interessiert bin, aber daß er sich bemühen muß, wenn er mich sehen will.

Gloria

Mein Leben ist voll von ermüdender Hausfrauenscheiße.
Schon beim Aufstehen ist mir so langweilig, daß ich
gleich wieder einschlafe. Ich schleppe mich durch den
Tag. Der nimmt kein Ende. Mein Kopf ist Brei. Nichts
mache ich richtig. Wenn ich Wäsche wasche, vergesse ich
das Waschpulver. Und so weiter. Einkaufen kann ich
auch nicht. Ich stehe im Laden und denke: Obst will ich
kaufen. Äpfel. Äpfel kauft man aber nicht im Juni, da gibt
es viel besseres Obst. Kirschen, Pfirsiche, Melonen. Die
Kirschen sind zu teuer. Vitamine sind da auch nicht richtig drin. Kriegt man nur Bauchweh von. Ob die Pfirsiche schmecken? Kauf ich ein Kilo Pfirsiche, und dann
schmecken die nicht. Kauf ich nur zwei Pfirsiche und die
schmecken, will man mehr essen und ärgert sich, daß nur
zwei da sind. Dann muß ich noch mal los, mehr Pfirsiche
kaufen. Dazu habe ich keine Lust. Kauf ich lieber gleich
ein Kilo. Und dann schmecken die nicht und verschim-
meln, weil sie keiner essen mag. Kauf ich lieber keine
Pfirsiche. Kauf ich lieber eine Melone. Eine Honigme-
lone. Melonenkaufen ist das Schwierigste auf der Welt.
Damit habe ich nie Glück. Alle Tricks wie Riechen und
Drücken nützen da nichts. Immer bringe ich eine nach
Hause, die nicht schmeckt. Ich könnte ein Stück Wasser-
melone kaufen. Angeschnitten und in Folie gepackt, da
sieht man, ob die schön rot ist innen, und wenn sie schön
rot ist, dann schmeckt sie auch. Das haben die hier nicht.

Verpackte Wassermelonenstücke. Kaufe ich kein Obst. Ist auch blöd. Kauf ich zwei Äpfel und Bananen. Nein, keine Bananen, nur zwei Äpfel. Dann will ich Gemüse kaufen, irgendwas zum Kochen, aber mir fällt nichts ein, was ich kochen könnte mit Gemüse. Paprika mag ich nicht. Zucchinis schmecken immer fade. Tomaten mit Nudeln essen wir jeden Tag. Kohlrabi schmeckt nur roh. Wie das meiste Gemüse. Vielleicht einen Salat. Den muß man waschen, dazu habe ich keine Lust. Tomate mit Mozzarella und Basilikum. Basilikum gibt es nicht, und die Tomaten kommen aus Belgien. Das muß man sich mal vorstellen. Mitten im Sommer haben die nur Tomaten aus Belgien. Kauf ich kein Gemüse. Ich kaufe Butter und Milch und ein Paket Nudeln. Das braucht man immer. Dann noch Klopapier und einen Apfelsaft und Kekse und bezahle dreißig Mark und habe nichts zum Essen in der Tüte. Dazu bin ich über eine halbe Stunde in diesem blöden Laden gestanden. Einkaufen konnte ich noch nie. Nur in Zuständen äußerster Konzentration, und die sind selten. Ich bewundere Menschen, die das können. Die das so nebenbei machen. Einkaufen und kochen, dazu noch ein bißchen Wäsche waschen und nebenbei die Wohnung aufräumen. Bei mir geht nichts nebenbei.

Neulich war ich zufällig mit Moritz, kurz vor Ladenschluß, am Samstag, im Supermarkt. Ich hatte am Ende wieder die Tüte voll mit Zeug, das man nicht essen kann und viel Geld kostet, und er hat zwölfmarkachtzig bezahlt für eine Packung Sprossen, eine Schote, ein Stück Fleisch, Toastbrot und Käse. Damit hatte er ein warmes Essen und ein Frühstück dazu, während wir wieder Pizza essen gehen müssen und erst recht kein Sonntagsfrühstück haben. Aber Moritz ist alleinstehend, und da ist alles einfacher. Wenn ich nur für mich einkaufen müßte, wäre ich in fünf Minuten wieder draußen aus dem Laden. Das heißt, wenn ich alleinstehend wäre, dann würde ich gar nicht einkaufen und keine Wäsche waschen und keine Wohnung aufräumen. Dann würde ich im Bett liegenbleiben und darüber nachdenken, warum ich alleinstehend bin. Oder ich hätte Liebeskummer und würde heulen ohne Ende. Ich hätte einen großen tragischen Schmerz und einen guten Grund, nicht mehr aufzustehen. Meine Freundinnen würden sich um mich sorgen. Sie würden anrufen und mit mir ausgehen und mir alle netten Männer vorstellen, die sie kennen und die auch alleinstehend sind.

Ich könnte mich von Lorenz trennen, aber dann wäre ich nur unglücklich und hätte zwei Kinder am Hals und müßte den ganzen Scheiß machen, den ich sonst auch mache, nur daß ich damit alleine wäre und mir keiner helfen würde. Alleinstehend zu sein, macht nur Sinn, wenn man keine Kinder hat. Mein Leben ist verpfuscht.

Marie

Zu der Verabredung komme ich zu spät. Ein bißchen aus Absicht, weil Gloria immer unpünktlich ist und ich nicht weiß, wie pünktlich der Martin ist, und ich möchte auf keinen Fall vor ihm da sein und alleine auf ihn warten müssen. Deshalb habe ich den Bus verpaßt.

Ich bin mit dem Bus gefahren, weil mir die Kinder wieder einmal die Ventile aus meinen Reifen geschraubt haben. Das kleine rothaarige Mädchen aus dem ersten Stock, mit ihrer Schwester. Die lungert den ganzen Tag vor der Tür herum, das kleine Mädchen mit den roten Haaren. Wenn man an ihr vorbeigeht, freut sie sich und begrüßt einen und fragt, wo man wohnt. Zum hunderttausendsten Mal. Manchmal steigt sie mit die Treppen hinauf, und wenn man sie dann fragt, wo sie hingeht, sagt sie, ihren Freund besuchen, der wohnt da oben. Dabei wissen wir beide, daß da oben keiner wohnt, der ihr Freund sein könnte. Die lügt, wenn sie den Mund aufmacht. Fragt man sie drei Tage vor Schulbeginn, wie lange sie noch Ferien hat, sagt sie, drei Wochen und lächelt dabei freudig. Neulich habe ich sie gefragt, ob sie in Urlaub fährt. Da erzählt sie, daß sie morgen wegfährt, ganz weit, erst mit dem Taxi und dann mit dem Flugzeug. Wohin, weiß sie nicht. Ich frage sie, ob sie ganz alleine fährt, da sagt sie, ihre Mutter fährt auch noch mit und ihre Oma. Und die anderen auch. Weil das nicht stimmt und ich die ganze Familie immer noch rumbrüllen höre, unter mir, versteckt sie sich jetzt für den Rest der Ferien und kommt nur heraus, um mir die Fahrradventile herauszuschrauben.

Auf dem Weg zur Bushaltestelle komme ich an einem thailändischen Eßlokal vorbei. Ich habe selber nur einmal dort gegessen, mit Klaus, damals, und aus diesem Grund schaue ich durch die Fenster, wer da sitzt und ißt, als würde ich jemanden kennen, nur weil ich selbst einmal dort gegessen habe. Tatsächlich sind mir einige Gesichter bekannt, beim näheren Hinsehen doch fremd, aber im letzten Fenster sehe ich die Freundin von Thorsten, die ich weniger gut kenne, und Thorsten, und mit ihnen essen Sven und Elke. Das ist eine nette Überraschung, Sven und Elke zu sehen, weil wir uns schon lange nicht mehr gesehen haben. Sven und Elke sind zu gute Bekannte, um nur locker im Vorbeigehen ans Fenster zu klopfen und kurz hineinzuwinken. Andererseits gäbe es nichts zu erzählen, das es wert wäre, in das Lokal hineinzugehen, an allen Tischen vorbei, um an ihrem Tisch stehenzubleiben, wo sie mit Thorsten und seiner Freundin essen. Es geht nur darum, einen angemessenen Ausdruck dafür zu finden, daß sich unsere Wege an diesem Abend knapp berühren und das überrascht freudig zur Kenntnis zu nehmen. Weil mir das nicht gelingt, gehe ich unbemerkt vorbei.

Martin steht alleine am Tresen und löffelt eine Suppe. Es ist komisch, daß wir uns hier treffen. Das sieht so aus, als hätten wir uns verabredet, um uns näher kennenzulernen, weil wir uns kaum kennen, und dabei kann ich ihn nicht einmal besonders leiden. Zu meinem Erstaunen stelle ich fest, daß er ein bißchen rot wird, als wir uns begrüßen. Er ist sehr höflich und fragt mich, was ich trinken möchte. Er ist sogar so höflich, daß er seine Suppe nicht mehr weiter ißt, weil er sich dazu jedesmal von mir wegdrehen muß. Er entschuldigt sich sogar dafür, daß er ißt, weil er nicht zum Essen gekommen ist, heute, sagt er. Das macht mich auch verlegen, daß er so höflich ist, weil das den Eindruck macht, als würde er sich um mich bemühen und das wäre ein Rendezvous. Das lasse ich ihn aber nicht merken, daß mich das verlegen macht, weil das alles nur noch schlimmer machen würde. Damit auch nicht der Gedanke aufkommt, das könnte tatsächlich ein Rendezvous sein, frage ich ihn sofort nach Gloria. Er sagt, Gloria hätte ihn angerufen, da war er schon aus der Tür raus, um ihm abzusagen. Sie war deprimiert und wollte in dieser Verfassung nicht aus dem Haus gehen und war auch durch nichts zu überreden. Ich merke, daß es ihm deshalb unangenehm ist, weil Gloria abgesagt hat und das jetzt so aussieht, als hätte er sich mit mir alleine treffen wollen und ich könnte denken, daß er was von mir will oder am Ende sogar noch aus diesem Grund selber was von ihm wollen. Um diesen Gedanken gleich aus dem Weg zu räumen, sage ich, das wäre gar nicht schlimm, ich hätte sowieso noch eine Verabredung, die ich vergessen hätte und in letzter Minute absagen mußte, wir könnten ein Bier trinken, und dann würde ich wieder gehen. Das scheint ihn zu beruhigen und in seiner männlichen Ehre zu kränken, deshalb versucht er mich zu überreden, den Abend trotzdem gemeinsam zu verbringen, und ich gebe ihm nach, weil ich keine andere Verabredung habe und sonst nur nach Hause gehen würde, um vor dem blöden Telefon zu sitzen. Weil anrufen könnte ich den Hans auch nicht, weil ich ja gesagt habe, daß ich schon verabredet bin. Dann könnte ich zu Hause nicht einmal ans Telefon gehen, sonst würde er denken, wenn er mich anrufen würde, obwohl ich nicht zu Hause bin, und ich wäre trotzdem da, ich würde ein blödes Spiel mit ihm spielen und erzählen, ich hätte eine Verabredung, obwohl ich keine habe. Deshalb bleibe ich.

Gloria

Jimi ist früh eingeschlafen, und keiner von uns ist mit eingeschlafen, deshalb verbringen wir den Abend endlich einmal gemeinsam. Vor dem Fernseher. Dem Martin habe ich abgesagt. Ich habe keine Lust mehr auf diese endlosen Sauf- und Schnubbelnächte. Geht auch gar nicht mehr. Mit dem Saufen ist Schluß und mit allem anderen auch. War es mir bei der ersten Schwangerschaft noch wichtig, meine soziale Reputation zu wahren, ist mir das jetzt scheißegal. Ich bleibe zu Hause auf dem Sofa, geh gar nicht mehr raus, wenn mir nicht danach ist. Früher bin ich hochschwanger bis in die Morgenstunden in völlig verrauchten Kneipen gestanden. Stocknüchtern, während alle um mich herum besoffen waren, habe ich so getan, als würde ich mich trotzdem amüsieren. Auch ohne Alkohol und Zigaretten und mit einem dicken Bauch. Das muß ich jetzt nicht mehr, weil meine soziale Reputation sowieso hinüber ist. Wir liegen auf dem Sofa und schauen uns irgendeinen alten Film an.

Früher in den Filmen schenkten die Männer den Frauen, die sie liebten, immer wertvollen Schmuck. Die Frauen waren immer entzückt über das Schmuckstück und sehr gerührt. Manchmal mußten sie sogar weinen. Ich sage zu Lorenz, daß ich nicht möchte, daß er mich mit einem wertvollen Schmuckstück überrascht. Die Vorstellung, daß er einen Haufen Geld ausgibt für etwas, das mir am Ende nicht gefällt oder nicht steht, läßt die

Liebe erfrieren. Ich müßte Freude heucheln und ihn be-
lügen und könnte mich selbst nicht leiden, weil ich mit
diesem scheußlichen teuren Schmuckstück durch die
Gegend laufen müßte und würde mich zu Tode ärgern,
wenn ich mir dabei ausrechne, daß man für das Geld diesen wunderschönen Prada-Mantel hätte kaufen können,
den ich mir nie leisten könnte. Dafür würde ich den
Mann hassen, der mich in eine solche Situation bringt.
Dieses Problem kennen die nicht in den Filmen. Lorenz
sagt, daß er mich nie mit einem teuren Schmuckstück
überraschen wird. Ich sage, das ist gut so, außer ich sehe
ein besonders schönes Schmuckstück und zeige ihm das,
dann könnte er mich auch damit überraschen.

Marie

Martin will tanzen gehen, aber ich will nicht. Ich will lieber herumsitzen und trinken. Das ist immer noch komisch, daß wir hier zu zweit herumsitzen. Susan kommt herein. Erst freue ich mich sie zu sehen, weil wir uns seit dem blöden Streit wegen Heinz nicht mehr gesehen haben, und außerdem muß ich dann nicht mehr mit dem Martin allein hier herumsitzen. Aber Susan begrüßt mich kaum und fragt nach Gloria. Dabei schaut sie uns so komisch an. Erst mich, dann den Martin und dann wieder mich. Das ist so blöd, daß ich mich schon wieder über sie ärgern muß, deshalb tu ich bei der Frage ganz erschrokken und schaue kurz ängstlich den Martin an. Der hat gleich begriffen und nimmt ganz schnell seine Hand weg, die neben meiner liegt. Martin murmelt, daß er aufs Klo muß und verschwindet. Ich sage zu Susan, daß es Gloria im Moment nicht so gut geht und daß sie ihr auf keinen Fall sagen soll, daß sie uns getroffen hat. Martin kommt zurück, und wir verlassen schnell das Lokal. Susan glotzt uns hinterher und versteht nichts. Gibt ja auch nichts zu verstehen.

Weil ich immer noch nicht tanzen gehen will, gehen wir ins Kumpelnest, da kann man auch tanzen. Ich will dahin, weil ich ein bißchen hoffe, dort den Hans zu treffen, ohne darüber nachzudenken, wie das dann weitergehen soll, wenn ich ihn da treffe. Aber der Gedanke, ihn dort zu treffen, habe ich gar nicht so ausdrücklich ge-

dacht, der war nur so in meinem Hinterkopf, im Unbe-
wußten, wie man sagt.

Obwohl es schon nach elf ist, ist es immer noch leer.
Wir setzen uns zu einem kleinen besoffenen Türken auf
die Bank. Der hat ein Bier vor sich stehen, in das er hin-
einspricht. Das ist mir recht, daß er mit seinem Bier
spricht, dann muß er nicht mit uns sprechen. Das kann
der gar nicht mehr, weil, als ich zurückkomme vom Klo,
ist er schon eingeschlafen. Wir legen ihn in die Ecke. Er
ist ganz klein und leicht. Auf einmal fängt es an zu stin-
ken, und ich glaube, daß er in die Hosen geschissen hat.
Wir stehen auf und setzen uns woanders hin.

Auf der leeren Tanzfläche tanzt eine riesige dicke
blonde Frau mit einem kleinen Neger. Sie hat eine Rose
in der Hand und dreht sich verzückt im Kreis, glücklich,
begehrt zu werden, und er wartet nur darauf, sie zu fik-
ken. Er hat einen langen roten Schal in der Hand, ich
nehme an, das ist ihrer, mit dem fängt er sie immer wieder ein. Er wirft den Schal um sie herum, um ihre dicke
Taille, und zieht sie ganz nah zu sich heran. Sie windet
sich dabei kokett, und er steckt seinen Kopf zwischen
ihre Brüste, wenn er sie nah genug herangeholt hat. Das
ist ihr ein bißchen unangenehm, und das macht die Sache noch widerwärtiger. Sie läßt es geschehen, weil es
mit zum Spiel gehört, dann tänzelt sie wieder weg auf ihren fetten Beinen, und alles beginnt von vorne. Die Frau
tut mir leid. Sie ist besoffen und hat es wahrscheinlich
nicht anders verdient, will es am Ende gar nicht anders,
aber sie tut mir trotzdem leid. Aber dann bekomme ich
eine Riesenwut auf sie, daß ich mir das mitanschauen
muß, dieses Elend, und mir davon den Abend verderben
lassen muß. Der Martin schimpft aufs Kumpelnest, und

heute hat er recht, weil es heute ein dermaßen runter-
gekommener und deprimierender Laden ist, wie sonst
kaum einer in der Stadt. Weil es so leer ist und nur Ab-
schaum herumhängt, frage ich mich, ob die anderen das
wußten, daß man heute abend nicht hierher gehen kann.
Ein geheimer Code, von dem ich nichts weiß. Ganz
so sieht es aus. Der Martin sagt das auch. Nicht einmal
die Musik stimmt, aber wahrscheinlich liegt es dran. Es
läuft so eine widerwärtige südamerikanische Lambada-
scheiße. Das hätten wir uns gleich denken können. Wenn
man so eine Musik hört, egal wo, muß man sofort umdre-
hen und hinausgehen, weil bei dieser Musik bekommen
die dümmsten Menschen gute Laune, und alle anderen
drehen sofort um und gehen hinaus. Und dümmste Menschen mit guter Laune, das ist so unerträglich, das mag
man sich gar nicht vorstellen. Weil sonst bekommt man
als nichtdummer Mensch die schlechteste Laune, die
man sich vorstellen kann. Der Abend ist verloren, sogar dem Martin ist die Lust auf Drogen vergangen. Hier
hilft nur noch Alkohol und die Flucht nach vorn. Deshalb
gehen wir nicht, sondern bleiben sitzen auf dem Sofa,
und der Martin holt uns Wodka. Da hilft kein Bier mehr.
Die Dicke verschwindet mit dem Neger aufs Klo oder
sonstwohin. Der Wodka läuft warm in uns hinein, und
auf einmal umwummert uns ein weicher Housebass. Das
ist, als hätte die Musik auch Wodka getrunken. Statt
Pinacolada. Die Tresenbesetzung hat gewechselt. Das ist
der Grund.

Jetzt wird alles gut. Sympathische schöne Menschen
strömen herein. Der Martin und ich sind jetzt glücklich
auf unserem Sofa mit noch mehr Wodka. Wir tanzen, bis
wir nicht mehr stehen können, dann gehen wir hinaus.

Es ist schon hell, aber die Stadt ist noch leer. Wir sind glücklich und ganz müde. Wir wollen nur noch schlafen. Auf der Stelle in ein Bett fallen und schlafen. Wir gehen um die Ecke, da ist ein Hotel. Wir zählen unser Geld, das reicht für ein Bett. Der Mann gibt uns den Schlüssel, und wir gehen nach oben. Da steht das Bett. Wir legen uns hinein und decken uns zu mit einer großen Decke. Vor dem Fenster hängt ein dicker roter Vorhang, und ich denke noch vor dem Einschlafen, wegen dem roten Licht, das durch den Vorhang hindurch kommt, ich denke, ich bin in einem Blutgefäß, und um mich herum ist warmes dickes Blut. Das ist ein ziemlicher Unsinn, deshalb kann ich mich auch noch daran erinnern, weil ich mir selbst beim Denken gedacht habe, was ich da für einen Unsinn denke.

Gloria

Ich habe eine tiefgehende Schwäche, die vom linken Na-
senloch ausgeht. Wenn ich mich bücke oder den Kopf
senke, stechen tausend Nadeln. Am unerträglichsten ist
der Schmerz, wenn ich mir auf den Hinterkopf haue. Aus
der Nase kommt phosphorgelbe Rotze, die leuchtet sogar im Dunkeln. Das ist eine saubere Kiefern- und Ne-
benhöhlenvereiterung, nehme ich einmal an. Mit so was
ist nicht zu spaßen. Da muß man im Bett bleiben und
sich ordentlich auskurieren, sonst muß man am Ende
noch die Nebenhöhlen durchstechen, damit der Eiter ab-
fließen kann, und das stelle ich mir wenig schön vor. Das
hat einmal ein Arzt zu mir gesagt, als ich die Tabletten
nicht nehmen wollte, die er mir verschrieben hat. Wenn
ich die nicht nehme, hat er gesagt, muß er meine Nebenhöhlen durchstechen, weil die dann so vereitern, daß
nichts mehr hilft. Mit einer glühenden Nadel, stelle ich
mir vor. Jedesmal wenn ich wieder vereiterte Nebenhöhlen habe, stelle ich mir vor, wie die durchgestochen werden. Weil ich so gut wie nie krank bin, ist jede Krankheit
für mich ein Ereignis. Kein angenehmes, natürlich, aber
auch kein nur unangenehmes, weil ich dabei staunend
meinen Körper beobachte, wozu der in der Lage ist. Begleitet von einer zappeligen Ungeduld, endlich wieder
gesund zu werden. Nach zwei Tagen. So sehr ich manchmal vergeblich eine Krankheit herbeisehne, eine kleine,
leichte Krankheit, versteht sich, die meinen Körper in

diesen Ausnahmezustand versetzt, so ungeduldig werde ich bald darauf, wieder gesund zu werden.

Seitdem Marie diesen Typ kennengelernt hat, höre ich nichts mehr von ihr. Typ ist ein blödes Wort, so wie Klamotten, aber ich kenne kein anderes, treffendes. Männer sind es in den seltensten Fällen, Kerle erst recht nicht, und damit hat sich der Wortschatz auch schon erschöpft. Wie vielseitig ist dagegen der Synonymenvorrat für Frauen. Da gibt es Damen, Ladys, Königinnen, Schnekken, Schnallen, Schlampen, Flittchen, Bienen oder wie der Martin immer sagt, Nattern, Blitznattern und Gewitternattern. Und noch viel mehr.

Das kenne ich schon von Marie, daß man nichts mehr von ihr hört, wenn sie einen Mann kennengelernt hat. Erst wenn es wieder vorbei ist, dann muß ich mir das Geheule anhören und trösten und Tränen wischen und neue Männer vorstellen. Ich meine, ich habe auch einen Mann und ein Kind noch dazu, und trotzdem kümmere ich mich um meine Freundinnen. Das heißt, die sind auch weniger geworden die Freundinnen, seitdem. Eigentlich ist nur Marie übriggeblieben. Und jetzt ist die auch wieder weg. Da paßt es, daß Susan anruft, die ruft sonst nie an. Sie fragt, wie es mir geht, und ich wundere mich, was sie will, da erzählt sie mir, daß sie Marie neulich getroffen hat, mit Martin, und danach macht sie eine komische Pause, bevor sie weiterredet, daß sie von Marie schon länger nichts mehr gehört hat und auch nicht gesehen, nur eben neulich, zufällig, mit dem Martin. Da kapiere ich erst, daß sie mich angerufen hat, um mir zu erzählen, daß Marie sich mit Martin trifft und wissen will, ob ich das weiß und was dran ist an der Sache. Ich frage sie erstaunt, ob sie nicht wüßte, daß Marie zum Martin nach

München zieht. Da ist sie platt. Jetzt sage ich, hoffentlich habe ich da nichts Falsches gesagt, weil Marie nicht will, daß ich das herumrede, aber ich hätte gedacht, daß sie ihr das erzählt hätte. Wenn sie noch nichts davon wüßte, sollte sie es schnell wieder vergessen und vor allem nicht mit Marie darüber reden, wenn sie ihr das nicht sowieso selber erzählt, und ich bin mir sicher, daß sie es ihr noch sagen wird. Das hat sie umgehauen. Sie sagt noch, sie wäre in letzter Zeit auch schlecht erreichbar gewesen, und dann will sie auflegen, aber ich bin jetzt richtig in Fahrt und lasse sie nicht auflegen, sondern erzähle ihr unwichtiges Zeug und langweile sie mit meiner Krankheitsgeschichte. Dann frage ich sie noch nach ihrem Freund aus, der Null, das mag sie am wenigsten, weil sie selber weiß, daß er eine Null ist und daß alle anderen das auch wissen. Deshalb ist es ihr immer besonders unangenehm, über ihn zu reden, aber ich lasse nicht locker und will mit ihr ein *Beziehungsgespräch* führen, als hätte sie eine ernstzunehmende Beziehung, dabei weiß sie genau, was ich von der Null halte und der Beziehung zu ihr. Sie windet sich und windet sich, und ich gebe ihr endlich den Gnadenschuß. Wenn sie anruft, um mir den Tag zu verderben, dann soll sie auch keine Freude mehr haben an diesem Tag. Schnepfe.

In meinem Leben muß sich etwas ändern. Ich fange damit an, indem ich mir etwas zum Anziehen kaufe. Dazu fährt man heutzutage nicht mehr an den Ku-damm, sondern in die Friedrichstraße. Da muß der Westberliner umdenken, daß er jetzt in den Osten fahren muß, wenn er einkaufen will. Das fällt schwer.

Da gibt es ein Haus aus Marmor, da sind die teuersten

Geschäfte drin. Das heißt, das meiste ist noch leer. Bis jetzt gibt es erst einen Gucci-Laden und noch drei andere. Das ganze marmorne Einkaufshaus ist wie ausgestorben. Eine Kleidergruft für die Feinsten. Auch die Geschäfte sind leer. Die freuen sich über jeden, der kommt, und alles kostet die Hälfte. Wenn die das wüßten, in München oder Düsseldorf oder Hamburg, daß man hier das ganze teure Zeug für die Hälfte kriegen kann. Es gibt nichts, was mich umwirft. Wenn mich was wirklich umwirft, dann kaufe ich das, versteht sich, egal was es kostet, aber ich verschulde mich nicht für was, das ganz o. k. aussieht, aber von Gucci ist. Und daß mich was wirklich umwirft, das ist ganz ganz selten. Das passiert so gut wie nie. Und wenn, dann sind es immer Schuhe, weil die Kleider, wenn sie mir einmal gefallen, meistens zu klein für mich sind. Ich sehe dann immer aus wie herausgewachsen, oder die Kleider sehen aus wie eingegangen. Die Hosen sind meistens zu kurz, und bei den Kleidern und Blusen hängt mir die Taille in den Rippen.

Tatsächlich muß ich feststellen, daß meine Haltung zur Kleidung davon geprägt ist, das einzig Richtige zu finden. Da wird immer geredet von dem Richtigen, wenn es um den Menschen geht, mit dem man sein Leben teilt, aber kein Mensch denkt daran, daß es in seinem Leben die richtige Hose geben muß. Oder die richtigen Schuhe. Ganz zu schweigen von dem richtigen Haarschnitt. Wenn man mit einem Mann sein Leben verbringen soll, warum dann nicht auch mit einer Hose? Wenn es die richtige ist.

Ich laufe noch durch viele Läden und am Ende durch drei H&Ms. Da kaufe ich ein Hemd für Lorenz, das ein ziemlich gelungenes Helmut Lang-Imitat ist, und eine

Hose für Jimi, weil sie dunkelblau ist und ohne Aufdruck. Da muß man schon froh sein, bei Kinderkleidung. Für mich kaufe ich nichts. Weil ich wieder einmal nicht das Richtige gefunden habe. Aber mit der richtigen Hose ist es wie mit dem richtigen Mann, die trifft man nur ganz selten und dann, wenn man gerade nicht daran denkt, weil man auf der Suche nach einer Bluse ist oder einer Jacke, oder wenn man gerade kein Geld hat. Dann hängt sie da auf ihrem Bügel, und man entdeckt sie ganz zufällig, und dann hat man kein Geld dabei, weil man nur eben mal durch den Laden laufen wollte, weil man gerade nichts Besseres zu tun hatte, auf den Bus wartet, oder einfach nur zur Entspannung. Und weil man gerade keine neue Hose braucht, sondern eine Jacke und auch kein Geld hat, kauft man sie nicht und ärgert sich noch Jahre später darüber.

Später, in der U-Bahn, denke ich darüber nach, daß sich jetzt wieder nichts ändert in meinem Leben, außer, daß ich immer dicker werde und bald zwei schreiende Kinder haben werde, und ich beschließe, mir die Haare kurz schneiden zu lassen. Wenn man eine neue Frisur hat, dann ist das viel wirksamer als ein neues Kleidungsstück, weil man die jeden Tag trägt, und eine andere Haarlänge verändert auch die Lebenshaltung. Das kann man immer wieder beobachten, daß kurze Haare einen viel forscheren aus dem Menschen machen, wogegen lange Haare eher das Gegenteil bewirken, aber das kann man nicht so einfach sagen, weil das Haarewachsen ein Vorgang ist, der sich über Jahre hinzieht, und da kann man eine Veränderung schlecht feststellen, weil man sich, bis die Haare lang gewachsen sind, nicht mehr daran erinnern kann, wie der Mensch vorher, mit kurzen Haaren, gewesen ist. Nur im Vergleich, wenn die ehemals Kurzhaarige sich die langen Haare abschneidet und wieder eine Kurzhaarige wird. Wenn sie sich dann zu ihrem Vorteil verändert, kann man sagen, daß die kurzen Haare gut sind für ihren Charakter und die langen Haare demzufolge schlecht.

Aus dieser Überlegung heraus folgere ich, daß ich schon viel zu lange lange Haare habe, und weil es mir früher besser ging als jetzt und ich früher kurze Haare hatte und heute lange, ist das ein Grund, daß ich mir die langen Haare abschneiden muß. Ich denke an die Frau in dem BMW mit dem Spoiler und denke, wenn ich erst einmal kurze Haare habe, ergibt sich der Rest von selbst, und alles wird wieder gut. Dabei weiß ich selber nicht, was wieder gut werden soll.

Marie

Wir gehen die Potsdamer runter, und weil wir so einen mächtigen Hunger haben und es schon nach Mittag ist, setzen wir uns zum Türken hinein, um dort zu frühstükken. Das ist wie Urlaub. Als wären wir zu Besuch in einer fremden Stadt, weil ich so was sonst nie mache, versteht sich. Der Martin findet das auch, und wir beschließen weiter so zu tun, als wären wir im Urlaub. Das klingt jetzt so nach ganz verrückt sein und Sachen tun, die man sonst nie macht, und so einer Scheiße. Das ist es aber nicht. Es ist nur so, daß man den Tag ungewöhnlich begonnen hat, und dann kann man das gleich so weitermachen, anstatt nach Hause zu gehen und den üblichen Scheiß zu tun.

Außerdem will ich gar nicht nach Hause gehen und der Martin auch nicht. Das heißt, der Martin hat ja hier gar kein richtiges Zuhause. Der ist hier tatsächlich so was wie auf Urlaub. Der wohnt sogar in einem Hotel, das ihm die Zeitung bezahlt, für die er schreibt. Er sagt, das nächste Mal wird er sich gleich in dem Hotel, in dem wir heute übernachtet haben, einquartieren, und nicht in diesem blöden Hotel am Ku-damm, das die Zeitung immer für ihn bucht. Der Martin, der ja ein richtiger Urlauber in dieser Stadt ist, schlägt vor, daß wir shoppen gehen, das würde er immer machen, in einer anderen Stadt. Das machen wir. Ich fahre mit ihm in die Friedrichstraße, das kennt er noch nicht. Er ist beeindruckt, weil es nicht einmal in München einen Gucci-Laden gibt. Wir probieren alles an, aber es ist nichts dabei, was uns gefällt. Nur eine Bluse, die ist sehr schön, aber viel zu teuer. Der Martin sagt, daß er mir was kaufen will, das würde er immer so machen, wenn er mit einer Frau in einer fremden Stadt ist. Ich kichere und tu verlegen, und er kauft mir tatsächlich ein weißes Lederportemonnaie von Gucci. Jetzt bin ich wirklich verlegen, als er es mir draußen gibt und mich dabei auf die Backe küßt. Dabei flüstert er, als Dankeschön für diese wunderschöne Nacht, und ich werde auch noch rot. Natürlich gibt es nichts, wofür er sich bedanken könnte, oder gerade deswegen, weil es nichts gibt, werde ich rot. Das wäre völlig in Ordnung, wenn er sich für eine heiße Nacht bedanken würde. Aber mit dem Martin hatte ich keine wilde Nacht und erst recht keinen Sex, für den man sich bedanken könnte. Das einzige, wofür er sich bei mir bedanken könnte, ist, daß ich in halber Bewußtlosigkeit ein Hotelbett mit ihm geteilt habe, und das macht mich verlegen. Das merkt der Martin und lacht mich aus, und ich schäme mich und sage erstmal gar nichts, weil mir nichts einfällt, was irgendwie frech und schlagfertig wäre und meine Verlegenheit wegwischen würde, dabei habe ich nicht einmal einen Grund dafür verlegen zu sein, außer der Tatsache, daß mir der Martin grundlos ein teures Geschenk macht. Der Martin merkt das und sagt, ich soll mir bloß keine Gedanken machen darüber, das setzt er als Spesen ab. Er bezahlt davon keinen Pfennig, und wenn es mir darüber gleich die Sprache verschlägt, nimmt er mir den Geldbeutel weg und trägt ihn wieder zurück, oder besser, er schenkt ihn einer anderen Frau, die sich darüber freut. Das will ich nicht, daß er ihn einer anderen Frau schenkt, deshalb sage ich, wenn das so ist, dann soll er mir auch noch die braune Bluse kaufen, und wir gehen zurück und kaufen die Bluse. Das ist cool. Das ist so pretty woman-mäßig.

Danach gehen wir Wiener Schnitzel essen im Einstein. Der Martin schlägt vor, daß wir in sein Hotel fahren, da haben sie ein Schwimmbad und eine Sauna und außerdem eine Minibar, zum Erfrischen. Weil man mit einem großen Schnitzel im Magen nicht schwimmen kann, nehmen wir erstmal eine Erfrischung aus der Minibar und noch eine, bis keine Erfrischungen mehr da sind, und dann legen wir uns hin, weil wir müde sind und schlafen eine Runde.

Ich frage den Martin, ob er gar nichts arbeiten muß, wo doch die Zeitung alles bezahlt, da sagt er, er soll eine Reportage schreiben über einen jungen Mann, der in eine fremde Stadt kommt und dort ein Mädchen kennenlernt und viel Spaß mit ihr hat und ihr teure Kleider kauft und viel Geld für sie ausgibt, weil er hofft, daß sie ihn dann liebt, und am Ende lacht sie ihn aus und liebt einen anderen. Ich werde schon wieder rot, und er lacht mich wieder aus. Er sagt, sie hätten ihn hierhergeschickt wegen einer Geschichte, die dann doch nicht zustande gekommen ist, das wissen die aber noch nicht, und deshalb muß er nicht arbeiten und kriegt trotzdem alles bezahlt.

Wir ziehen die weichen Hotelbademäntel an, mit dem Hotelabzeichen auf der Brusttasche, und gehen in den Bademänteln den Hotelflur entlang zu dem Lift und fahren hinauf ins Schwimmbad. Das ist ganz oben, auf dem Dach, obwohl Schwimmbäder sonst immer im Keller sind.

Das Schwimmbad ist ganz leer. Wir schwimmen und schwitzen in der Sauna, und danach liegen wir auf der Terrasse, auf dem Dach, ganz weit oben über der Stadt,

in unseren flauschigen Bademänteln auf weichen Liege-
stühlen und reden über das Leben und die Männer und
die Frauen.

Ich erzähle dem Martin von Marvin, wie der damals
nachts das Motorrad auf der Straße geknackt hat, weil ich
so müde war und nicht mehr laufen wollte und wir unser
ganzes Geld vertrunken hatten, was wir immer taten,
weil es unmöglich war, mit Marvin das Lokal zu verlassen, bevor das letzte Geld vertrunken war. Sogar dann
war es noch schwierig, ihn zum Gehen zu überreden, weil
er dann anfing, die Leute zu beschimpfen, damit sie ihm
ein Bier ausgaben. So ein Abend war das wieder, damals,
und ich hatte fünf Biere zu viel getrunken und zu lange
herumgesessen, da konnte ich nicht mehr laufen, keinen
Schritt mehr, an Taxifahren war nicht zu denken, ohne
Geld, ich habe mich auf die Straße gesetzt und geweint,
so erschöpft war ich, da hat er gesagt, *mach ma keine Sorgen, ich bring dich nach Hause* und war verschwunden, und
dann stand er mit einem riesigen Motorrad vor mir und
sagt, *halt ma gut fest*, und ich halt mich fest und wir fahren
durch den Tiergarten auf den großen Stern zu, der leuchtet golden, obwohl es Nacht ist, den Siebzehnten Juni
runter zum Ernst-Reuter-Platz mit seinen Fontänen,
schönster Platz der Welt, die Bismarckstraße hinauf, wo
ich damals noch gewohnt habe. Ich habe meine Hände
um seinen Bauch gelegt und mein Gesicht auf seinen
Rücken. Er fährt, ganz langsam und vorsichtig, um mich
sicher nach Hause zu bringen. Damals habe ich mich
dafür in ihn verliebt, weil er nicht so einer ist, der ein
Motorrad knackt und dann ordentlich aufdreht, um dem
Mädchen zu zeigen, was für ein toller Hecht er ist, daß er
extra für sie ein Motorrad knackt und sie mit hundert

Sachen nach Hause fährt, sondern er hat das nur für mich getan, weil ich müde war und verzweifelt, und er wollte mir helfen, und das hat er getan. Obwohl er völlig betrunken war, hat er nur daran gedacht, wie er mich sicher nach Hause bringt, und er wußte, daß ich mich fürchte auf schnellen Motorrädern, und deshalb ist er langsam gefahren. Dabei ist es für ihn das Größte, auf Motorrädern durch die Gegend zu rasen, wenn er einmal die Möglichkeit dazu hat, und die hat er selten, weil er weder ein Motorrad noch einen Führerschein hat. Er hätte ja auch, wo er schon einmal die Gelegenheit dazu hatte, gleich noch die Avus rauf- und runterbrettern können, was er alleine bestimmt gemacht hätte, in dem Zustand, aber weil ich hinten drauf saß und er betrunken war, fuhr er mich in einer zärtlichen sanften Nachtfahrt nach Hause. Und danach hat er nie wieder davon gesprochen.

Der Martin ist begeistert und sagt, das sei die coolste Geschichte, die er je gehört hätte, und will gleich noch mehr hören und den coolen Hund unbedingt kennenlernen. Mir wird plötzlich nach dem Erzählen und dem Drandenken ganz heiß ums Herz, und am liebsten wäre ich aus meinem Liegestuhl aufgesprungen und in meinem blöden Bademantel durch die ganze Stadt gelaufen, um ihn zu suchen. Aber ich bleibe liegen und sage nicht mehr viel und hänge weiter meinen Gedanken nach, still und wehmütig auf der Hoteldachterrasse. Der Martin hat das gar nicht gemerkt, der liegt nämlich mit offenem Mund in seinem Liegestuhl und schnarcht ganz laut, dabei läuft ihm ein bißchen Spucke aus dem Mund heraus, an der Seite.

Gloria

Marie geht nicht mehr ans Telefon, oder sie ist nicht zu Hause. Langsam mache ich mir Sorgen um sie, ob alles in Ordnung ist mit ihr und daß nicht dasselbe wieder passiert wie damals.

Marie hatte damals diesen schwerhörigen Freund, und das war noch das Beste an ihm. Der hatte keine Zähne im Mund und einen amerikanischen Namen, weil er ein Besatzungskind war. Hinter Maries Rücken pumpte er ihre Freunde um Geld an und um Bier oder Autos. Mit den Autos fuhr er dann herum, betrunken. Er hatte keinen Führerschein und kannte nicht einmal die einfachsten Verkehrsregeln. Das weiß ich, weil ich einmal mit ihm Auto gefahren bin und er an allen Rechtsvorlinksstraßen vorbeigerast ist. Zum Glück war es spät und wenig Verkehr. Marie fand das wild und verwegen. Weil er keine Wohnung hatte und in einem heruntergekommenen Apartmenthaus in der Potsdamer Straße wohnte, aus dem sie ihn rausgeschmissen hatten, was schon etwas heißt, weil nur die asozialsten heruntergekommensten Gestalten da wohnen, zog er bald bei Marie ein, ohne daß sie es wollte. Sie hat ihn immer wieder rausgeschmissen, aber weil es Winter war, hat sie es doch nie übers Herz gebracht, obwohl er betrunken nach Hause gekommen war und derart rumrandaliert hat, nachts um halb vier, daß die Nachbarn die Polizei geholt hatten. Das passierte ständig, und danach ging alles wieder von vorne los.

Ich glaube, Marie hat das mit Leidenschaft verwechselt, und obwohl sie das alles kaum ertragen hat, war sie verrückt nach dem Kerl und kam nicht mehr von ihm los. Das ging zwei Jahre so. Wir haben uns alle gesorgt um sie, weil wir dachten, den wird sie nie mehr los, oder der bringt sie um, wenn sie ihn verläßt. Dann hat sie sich plötzlich von ihm getrennt, und er ist von einem Tag auf den anderen verschwunden und schreibt ihr zu jedem Geburtstag eine Karte mit vielen Rechtschreibfehlern.

Das ist erstaunlich. Das ist so erstaunlich, daß Marie ihn deshalb immer noch liebt und jedesmal, wenn die Sprache auf ihn kommt und jemand etwa Schlechtes über ihn sagt, weil keiner etwas Gutes über ihn zu sagen hat, sagt Marie, daß die Art und Weise, wie er gegangen ist, beweist, was für ein feiner Mensch er im Grunde war und daß sie sich nicht in ihm getäuscht hat, und wer weiß, ob sie jemals so einen feinen Menschen wiedertrifft, und so einer wäre ihr hundertmal lieber, als einer, der höflich ist und gebildet, Manieren hat und im Inneren ein mieser Saukerl ist und sie sitzen läßt, wenn sie von ihm schwanger wird, nachdem er gesagt hat, daß er von ihr Kinder haben will. Dann bin ich immer ganz still, weil dieser miese Saukerl ein Freund von mir war, und ich habe ihn Marie fast aufgedrängt, weil ich dachte, daß er der Richtige für sie hätte sein können, und dann hat er ihr nach wenigen Monaten das Herz gebrochen und sie nach einer Abtreibung sitzen lassen.

Ich denke mir dann nur, ein Glück, daß sie von dem Asozialen nicht noch schwanger geworden ist, aber das denke ich mir nur und sage es ihr natürlich nicht, weil das bei ihr nur das Gegenteil bewirken würde und sie glatt dazu in der Lage wäre, zu ihm zurückzugehen und sich ein Kind von ihm machen zu lassen. Das würde der mit Freuden tun, weil sie ihn dann nicht mehr so schnell los werden würde, und der weiß, daß er so eine Dumme wie die Marie nie mehr wieder finden wird, die das alles hinnimmt und ihn sogar noch liebt dafür. Deshalb wechsle ich immer schnell das Thema, wenn die Sprache darauf kommt.

Marie

Auf dem Anrufbeantworter sind ungefähr neunundzwanzig Anrufe von Gloria, zwei von Susan und noch zehn, wo jemand wieder aufgelegt hat. Bei zwei von diesen Anrufen ist Musik im Hintergrund zu hören, aber ich kann daraus nicht erkennen, wer angerufen hat. Da fällt mir ein und wirklich erst jetzt, daß ich Wolfgang Schäfer nicht angerufen habe. Ich weiß nicht einmal mehr, wie lange ich unterwegs war, mir ist als wäre ich eine ganze Weile verreist gewesen. Als erstes rufe ich Gloria an. Bei ihr ist ständig besetzt, wie immer, wenn ich dort anrufe. Deshalb lüfte ich erst einmal die Wohnung, reiße alle Fenster auf und schmeiße vertrocknete Grünpflanzen weg. Alles was man so macht, wenn man aus dem Urlaub nach Hause kommt. Nur eine Tasche zum Auspacken habe ich nicht, die zwei Wochen herumsteht und darauf wartet, endlich ausgepackt zu werden. Nur eine Tüte von Gucci steht herum. Die ist schnell ausgepackt. Ich bin stolz auf mein verwegenes Leben. Tagelang mit fremden Männern unterwegs. Der eine schenkt mir eine teure Bluse, und der andere wartet auf meinen Anruf. Was kümmert es mich. Ich bin frei und unabhängig. Eine Frau in den besten Jahren. Das Leben liegt mir zu Füßen. Noch nie habe ich mich so gut gefühlt. Ich nehme eine Dusche und wasche mir die Haare. Dann suche ich einen passenden Rock heraus für die Bluse. Ich ziehe mich an und probiere Verschiedenes vor dem Spiegel. Es sieht alles großartig aus. Bei Gloria ist immer noch besetzt. Seit zwei Stunden! Ich stelle mich vor den Spiegel mit einer Zigarette in der Hand. Ich gehe auf und ab und werfe mir Blicke zu, über die Schultern. Da fällt mir wieder Wolfgang Schäfer ein. Bei dem läuft der Anrufbeantworter.

Gloria ist ganz außer sich. Ich beruhige sie und erzähle, daß wir eine gute Zeit hatten. Ich erzähle ihr alles ganz genau. Den Abend im Kumpelnest mit dem Neger und der Dicken und der Nacht im Hotel und irgendwann, da bin ich schon auf der Potsdamer am nächsten Morgen, stellt sich heraus, daß sie die ganze Zeit denkt, ich würde von Wolfgang Schäfer sprechen und nicht von Martin. Da wird sie ganz still, so einen Schreck kriegt sie. Erst sagt sie gar nichts. Dann erzählt sie, wie Susan sie angerufen hat, um ihr zu erzählen, daß sie mich mit dem Martin gesehen hätte. Das Miststück. Und daß sie ihr erzählt hat, ich würde mit dem Martin nach München ziehen und das hätte sie noch für einen genialen Witz gehalten und jetzt stellt sich das alles als wahr heraus, das könnte sie gar nicht glauben, das wäre wirklich unfaßbar. Gloria ist ziemlich außer sich. Das kann ich nicht verstehen, aber das liegt daran, daß sie glaubt, daß ich jetzt was mit dem Martin hätte. Daß wir ein Liebespaar wären. Ich kläre sie darüber auf, daß überhaupt nichts zwischen dem Martin und mir gewesen ist. Nicht einmal ein betrunkenes Rumgeküsse. Unser Verhältnis ist ein rein freundschaftliches und das wird es auch bleiben. Gloria schreit, das wäre wohl ein Witz, daß wir diesen Abend zusammen verbracht haben und eine gemeinsame Nacht in einem Hotel und den ganzen nächsten Tag, wie ein Liebespaar, das sich nicht trennen mag, und dann würde ich ihr erzählen, daß nichts gewesen sei, für wen ich sie halten würde, daß ich ihr eine solche Scheiße erzähle. Sie ist wirklich außer sich. Das mit der Bluse erzähle ich ihr dann lieber nicht mehr. Auch nicht, daß wir in seinem Hotel waren und in der Sauna und daß ich da auch noch übernachtet habe, weil ich zu müde war zum Heimfahren nach dem Schwimmen und der Sauna und es so gemütlich war im Hotelbett, vor dem Hotelfernseher. Auf einmal kommt es mir auch komisch vor, weil es stimmt, was Gloria sagt, daß wir uns wie ein Liebespaar benommen haben. Die ganze Zeit habe ich mir nichts dabei gedacht, aber jetzt, wo Gloria sich so aufregt, wird es mir ganz klar. Ich wiegle ab und versichere, daß da nichts ist und auch nichts werden wird. Ich verspreche es ihr und meine es auch so. Gloria meint, das wäre nicht so, daß sie uns kein Liebesglück gönnen würde, aber das wäre zu überraschend, damit hätte sie am wenigsten gerechnet. Da denkt sie, sie erzählt Susan eine abstruse Lüge, an der sie sich die Zähne ausbeißen kann, und dann holt sie die Wahrheit ein und sie ist diejenige, die aufs Maul fällt und sich die Zähne ausschlägt. Das verstehe ich nicht, daß, wenn der Martin und ich tatsächlich ein Liebespaar wären, was wir nicht sind, es für Gloria so wäre, als würde SIE aufs Maul fallen und sich die Zähne ausschlagen. Sie gibt zu, daß das ein schlecht gelungener Vergleich sei, aber sie fände, daß wir gar nicht zusammen passen würden, und außerdem wäre es für sie blöd, wenn wir zusammen wären, aus Gründen, die sie nicht weiter ausführen will. Nur, daß Liebschaften im engen Freundeskreis immer böses Blut bedeuten.

Ich erinnere sie daran, daß sie mich seit Jahren mit Männern aus ihrem engen Freundeskreis verkuppeln will. Sie sagt, das wäre ja auch aus eben genannten Gründen immer danebengegangen. Sie gibt mir nur den Rat, die Finger vom Martin zu lassen und sagt, daß sie jetzt auflegt, weil sie das erstmal verdauen muß. Ich will ihr sagen, daß es nichts gibt, was sie verdauen muß, aber da hat sie schon aufgelegt.

Das muß ich auch erstmal verdauen. Damit habe ich nicht gerechnet. Mir geht es da wie Gloria, nur umgekehrt. Ich denke mir die ganze Zeit nichts dabei, und dann explodiert das so dermaßen, daß ich gar nicht mehr weiß, wo mir der Kopf steht. Erst habe ich ein schlechtes Gewissen und überlege mir, wie ich meine Gedankenlosigkeit wiedergutmachen kann. Dazu fällt mir nichts ein, weil ich nichts getan habe, das man wiedergutmachen müßte. Ich bekomme eine Riesenwut auf Gloria. Daß sie sich so aufführt, völlig grundlos, mir ein schlechtes Gewissen macht dafür, daß ich eine schöne Zeit hatte mit einem ihrer Freunde, ohne sie vorher gefragt zu haben. Mir fällt auf, daß wir uns immer nur gut verstehen, wenn ich gerade keinen Freund habe oder Liebeskummer, was die meiste Zeit so ist. Sobald ich mich aber verliebt habe und glücklich bin, fängt Gloria an Ärger zu machen. Das ist immer so. Stundenlang kann sie zuhören, wenn ich Kummer habe und mein Gejammer scheint sie nie zu langweilen. Sie ist die beste Freundin, wenn es mir schlecht geht. Dann gibt sie mir weise Ratschläge und stellt mir neue Männer vor. Aber wenn es was Ernstes wird mit einem Mann und ich ihr von meinem Glück erzählen will, dann wird sie komisch. Ungeduldig und sagt, das wäre ja widerwärtig, so ein Glück, wie ich das nur ertragen könnte. Das sagt sie natürlich ironisch, aber ich weiß, daß sie es ernst meint. Daß sie mein Glück nicht aushält, wenn es ein Liebesglück ist.

106

Ich rufe den Martin an, um ihm das zu erzählen. Der freut sich über meinen Anruf und sagt, er hätte mich auch schon anrufen wollen und daß er nächste Woche wieder nach Berlin kommt, ich soll ein schönes Hotel aussuchen. Ich erzähle ihm von Gloria und er sagt nur, die spinnt doch und das krieg ich schon wieder hin, kein Problem. Das beruhigt mich, nicht weil ich glaube, daß er das wieder hinkriegt, sondern weil wir zu zweit sind in der Geschichte.

Mir fällt das Arschgesicht wieder ein, mit dem Gloria mich damals zusammengebracht hat. Als ich noch mit ihm glücklich war, und ich war sehr sehr glücklich mit ihm, war unsere Freundschaft fast am Ende. Als er mich dann sitzengelassen hat, nachdem er mich geschwängert hatte und ich am gebrochenen Herzen fast gestorben wäre, da hat sie mir das Leben gerettet. Da war sie wieder die beste Freundin, die man haben kann. Ich war damals froh, daß die Geschichte vorbei war, weil ich meine Freundin dafür wieder hatte. Das schien mir in dem Fall wichtiger, als einen Mann zu haben. Habe ich mir eingeredet. Dabei ist es wichtiger einen Mann zu haben, als eine Freundin, die mein Liebesglück nicht ertragen kann.

Gloria

Das haut mich um. Das haut mich wirklich um. Ich bin das dümmste in den Arsch getretene im Dreck liegengelassene Stück. Ich könnte mich in den Arsch beißen. Aus allen Ecken kommen sie heraus und zeigen mit dem Finger auf mich und lachen sich dumm. Ich tanze dazu im Kreis mit nacktem Arsch und merke nichts davon. Weder daß mein Arsch nackt ist, noch daß alle über mich lachen.

Das ist schlimm. Das ist wirklich schlimm. Von den Vertrauensleuten verraten. Da denke ich noch, ich habe die Fäden in der Hand und mache einen guten Scherz, und dann geht alles nach hinten los. Krieg ich allein die ganze Ladung in die Fresse. Das tut weh.

Ich heule und schreie vor Wut, bis Lorenz kommt, um nach mir zu sehen. Er versteht nichts. Versteht meinen ganzen Ärger nicht. Den gemeinen Hinterhalt, den Verrat. Er sagt, was ich mich so habe, nur weil Marie mit dem Martin eine gute Zeit hatte. Soll ich doch froh sein, daß die sich so gut verstehen. Soll ich doch froh sein, daß Marie endlich glücklich ist mit einem Mann, den ich auch leiden kann und der mich nicht jedesmal um ein Bier anpumpt. Lorenz versteht sowas nie. Als Marie mit dem Asozialen zusammen war, hat er auch nur gesagt, ich soll mich da raushalten, Marie wird schon wissen, was sie da tut, und hat ihm jedesmal ein Bier ausgegeben.

Lorenz versteht gar nichts. Kann er auch nicht. Ich bin allein in meinem Elend. Das muß ich mit mir selbst abmachen. Da hilft mir niemand. Wie auch. Die einzigen Menschen, die dazu in Frage kommen würden, zeigen mit nackten Fingern auf meinen nackten Arsch und lachen sich dumm. Dumm bin ich. Dumm wie Brot. Dumm wie Fleisch. Fett und dumm. Ich reiße mir die Haare vom Kopf, ich kratze mir die Augen aus, ich wälze mich auf dem Boden vor Schmerzen, brülle wie ein Tier, aller Schmerz dieser Welt auf meinem Arsch. Das hat man nun von einem Prachtarsch. Angearscht. Marie belügt mich. Marie verarscht mich. Marie denkt, ich wäre dumm. Das ist schlimm. Von mir aus kann sie mit dem Martin sämtliche Wände hochvögeln, das ist mir so was von egal, das gönne ich ihr von Herzen, haufenweise guten Sex, ich bezweifle nur, daß die beiden guten Sex zusammen haben können, daß man überhaupt mit dem Martin Sex haben kann, aber das ist eine andere Sache. Aber daß da offensichtlich eine Sache läuft, von der ich nichts wissen soll, das ist mies. Das stinkt zum Davonlaufen. Jahrelang höre ich mir geduldig ihr Gejammer an, über die Männer, tröste sie, finde neue Männer für sie, dafür bin ich immer die Richtige. Geht es ihr dann gut, ist sie endlich wieder glücklich verliebt, ist sie weg. Höre ich nichts mehr von ihr. Erst wenn die ersten Krisen kommen, taucht sie wieder auf. Dann muß ich wieder herhalten. Trösten, neue Männer finden, mit denen sie wieder verschwindet. Das ist vorbei. Bevor ich eine Freundin habe, die mich belügt und immer nur anheult und verschwindet, sobald es ihr gut geht, habe ich lieber gar keine Freundin.

Marie

Da sitze ich mit meiner neuen Bluse herum, ins Bett kann ich so nicht gehen, ich muß erstmal meine Wut loswerden, auf andere Gedanken kommen, meine Bluse ausführen, eine neue Freundin finden.

Ich rufe noch einmal bei Wolfgang Schäfer an, da ist jetzt besetzt. Das macht mich ganz nervös, ich weiß auch nicht warum. Ich kann nicht aufhören, an Gloria zu denken. Das macht mich so wütend, daß ich gegen die Wand laufen könnte. Gloria führt sich auf wie eine Königin. Ständig muß man sie hofieren und umtun und wenn man das einmal nicht tut, dann läßt sie die Löwen los.

Bei Schäfer ist immer noch besetzt. Ich schalte den Fernseher ein, um auf andere Gedanken zu kommen, aber es läuft nur Dreck. Der Arsch telefoniert immer noch. Ich habe einen riesigen Bierdurst, deshalb gehe ich schnell runter, mir ein Bier holen. Ich könnte auch zum Italiener nebenan gehen, aber der hat nur Dosenbier, und Bier aus der Dose schmeckt nicht. Cola schmeckt aus der Dose und Fanta, besser als aus der Flasche. Ich gehe zum Hot dog-Stand. Die Nacht ist warm, und wer weiß, ob ich heute noch einmal rauskomme, und so kann ich wenigstens meine neue Bluse ein bißchen spazierenführen. Die Goltzstraße rauf und runter. Am *M* vorbei, da sitzen sie alle draußen, die Dummbacken mit ihren wichtigen Szenegesichtern, Witzfiguren, keinen Blick werfe ich drauf beim Vorbeigehen. Keine Zeit, mich in Straßencafés zu vertrödeln, es gibt so viel Wichtigeres mit seinem Leben anzufangen, aber davon wißt ihr nichts, werdet ihr nie erfahren, ihr könnt mich fragen, aber ich werde es euch nicht erzählen. Ich kaufe drei Staropramen und laufe den gleichen Weg zurück nach Hause. Ich könnte auch einen anderen Weg laufen, einen kleinen ruhigen Umweg über die Barbarossastraße, aber ich laufe extra noch einmal am *M* vorbei, mit meinen Bieren in der Hand, damit alle sehen, daß ich mein Bier lieber zu Hause trinke.

Zu Hause hat sich nichts verändert. Der Fernseher läuft, und es hat keiner angerufen. Das erste Bier trinke ich ganz schnell. Das macht mich ruhiger. Ich trinke das zweite, während ich durch die Kanäle schalte. Ich schaue in das bunte Geflimmer hinein. Den Kopf schalte ich mit dem Bier ab, bis er nur noch rauscht, die Augen ruhen sich im Flimmern aus. Mir wird schwer und warm und alles egal. Ich trinke das dritte Bier und ärgere mich, daß ich nicht vier Bier gekauft habe, weil das vierte Bier könnte mich endlich ausschalten. Das schafft das dritte Bier nicht. Aber fast.

Ich rufe noch mal an, der Anrufbeantworter ist wieder dran. Ich beschimpfe die blöde Maschine und Wolfgang Schäfer, weil er nie anruft und nie da ist, wenn man ihn anruft. Ich sage, vielleicht lalle ich auch, aber das ist mir so was von egal, wie mir alles egal ist, ich sage, daß ich ihn nie mehr anrufen werde, weil ich keine Männer brauchen kann, die nie anrufen und nie da sind, wenn man sie braucht. Ich sage noch viel mehr, an das ich mich nicht mehr erinnern kann, das aber alles auf das Gleiche hinausläuft. Wolfgang Schäfer ist mir so was von egal. Wie Gloria und alles andere. Das einzige, was mir nicht egal ist, ist meine neue Bluse, die ziehe ich nämlich aus und hänge sie auf einen Bügel, bevor ich mich ins Bett lege.

Gloria

Verreisen müßte man. Raus aus der Stadt, hinaus aufs Land. Das einzige, was jetzt noch hilft. Oder gleich woanders leben. Nichts hält mich mehr in dieser Scheißstadt. Freunde habe ich keine. Ausgehen tu ich nicht. Bald bin ich so dick, daß ich mich nicht mehr bewegen kann. Wer soll sich das anschauen.

In einem Hafenstädtchen möchte ich wohnen. Im Süden, mit Matrosen, die durch die Straßen flanieren, und dem Geruch von Seetang. Wenn das Meer nahe ist, kann man die weite Welt riechen. Da wird es nie zu eng. Da gibt es die großen Schiffe, die einen hinaustragen in die Welt und die die Welt hineintragen. Bananen aus Madagaskar, Orangen aus Sumatra. In den Kneipen am Hafen sitzen die Männer und erzählen. Vom Meer und den fernen heißen Städten. Sitzt man daneben und lauscht ihren Geschichten, ist man ein bißchen mit dabei in der Ferne. So stell ich mir das vor. Daß ich irgendwo hinfahren muß, wo alles gut wird. Dabei weiß ich, daß das nicht geht. Aber man kann es ja mal versuchen. Besser wird es allemal, weil schlechter kann es nicht mehr werden. Schlimmstenfalls bleibt alles gleich, aber dann ist wenigstens das Wetter besser und die Landschaft schöner. Nicht mehr jeden Tag die gleichen Straßen langlaufen müssen. Immer die gleichen Wege. Jeden Tag.

Früher habe ich in Moabit gewohnt. Abgesehen davon, daß es dort scheußlich ist, bin ich fast daran gestorben, daß ich jeden Tag zehn Minuten lang die Alt Moabit langlaufen mußte, bis zur U-Bahn. Da habe ich nämlich gewohnt, in der Straße, und um zur U-Bahn zu kommen, mußte ich täglich zehn Minuten lang diese öde Straße entlanglaufen und wieder zurück. Da gab es keine Geschäfte, nichts, immer nur geradeaus. Manchmal, später immer öfter, habe ich zwanzig Minuten auf den Bus gewartet, der mich von der U-Bahn bis vor die Haustür fuhr. Irgendwann bin ich nur noch Bus gefahren, weil ich den Weg nicht mehr ertragen habe. Zwanzig Minuten Warten waren wie Karussellfahren gegen diese zehn Minuten Weg. Dann habe ich einen Topf anbrennen lassen und mußte ausziehen. Das hat mich vor einer Nervenkrise gerettet. Aus diesem Grund, dem immergleichen Wegegrund, kann ich nie länger als zwei Jahre irgendwo wohnen. Da wo ich jetzt wohne, wohne ich schon drei Jahre, höchste Zeit umzuziehen. Ich sage zu Lorenz, er soll seinen blöden Job kündigen, damit wir in eine Hafenstadt ziehen können, oder in den Süden fahren. Er sagt, er kann sich Urlaub nehmen und wir können zu seiner Großmutter nach Schweden fahren. Das ist auch gut. Alles ist besser als hierbleiben.

Lorenz' Großmutter war früher Turmspringerin und Winterschwimmerin. Sie ist in einem Wagen voller Schwedenmädels ins Eis hinausgefahren, früher, als die Winter noch kalt waren und die Meere zugefroren. Da sind die aufs Eis gesprungen, haben ein Loch hineingeschlagen und sind hineingehüpft und wieder zurückgefahren. Das war eine lustige Truppe. Den Großvater hat sie geheiratet, weil er nicht wie die anderen Bewerber nur ihren Bademantel getragen hat, während sie vom Turm gesprungen ist, sondern weil er auch ein Turm-

114

springer war. Deshalb haben sie eine Turmspringerehe geschlossen.

Die Großmutter hatte einmal, als Lorenz mit Katrin in Schweden war, die früher seine Freundin war und die die Großmutter von Anfang an nicht leiden konnte, wie sie nur mit einem Herrenhemd bekleidet rumsaß, mit zwei Fingern den Hemdzipfel über ihren Schenkeln gelüpft, um zu sehen, ob sie etwas darunter trägt. Ich frage mich, was gewesen wäre, wenn Katrin tatsächlich keinen Schlüpfer darunter getragen hätte und ihre nackte Scham der Großmutter ins Gesicht geblitzt wäre. Hat die überhaupt an diese Möglichkeit gedacht? Wenn, dann hätte sie die Prüfung sicherlich unterlassen und hat sich nur soweit vorgewagt, weil sie sicher war, daß das Mädchen ordentlich bekleidet war, und ihre Geste sollte andeuten, daß sie es für möglich hielt, daß die Freundin ihres Enkels wie ein Flittchen untenrum nackig am Kaffeetisch sitzt.

Mich konnte die Großmutter von Anfang an leiden, schließlich bringe ich ihre Urenkel zur Welt und nähre sie an meiner Brust. Dafür darf ich sogar untenrum nackig am Kaffeetisch sitzen.

Marie

Wolfgang Schäfer ruft an. Ich versteh erst gar nicht, wer er ist und was er will, weil mich das Telefon geweckt hat und ich gerade was ganz anderes geträumt habe. Er will gleich vorbeikommen und Frühstück mitbringen. Er fragt, wo ich wohne, und ich sage es ihm, und er sagt, daß er in einer halben Stunde bei mir sein wird.

Ich stehe auf und stell mich unter die Dusche, die Haare wasche ich nicht, die hätten es zwar nötig, aber sie sitzen gerade, wie immer, wenn sie eine Wäsche nötig hätten.

Das ist ein Elend mit den Haaren. Wenn man sie wäscht, braucht man Stunden und viel Glück, sie in die richtige Form zu bringen, weil sie nach dem Waschen zu leicht sind und immer herumfliegen. Egal was man mit ihnen anstellt. Erst nach Tagen haben sie den richtigen Zustand erreicht, und dann müßte man sie eigentlich wieder waschen.

Ich lasse die Finger von den Haaren, weil davon nur alles schlimmer wird. Nie besser. Wenn die Haare einigermaßen in Form sind, soll man die Finger davon lassen, weil man nichts besser machen kann. Außerdem will ich nicht so aussehen, als ob ich eine halbe Stunde vor dem Spiegel verbracht habe, nur weil Wolfgang Schäfer zum Frühstück kommt. Deshalb mache ich nur das Nötigste mit meinem Gesicht. Dann ziehe ich mich an, mein altes dunkelblaues T-Shirt mit den Farbflecken drauf, weil mir das am besten steht und so eine gute Figur macht in der Taille. Auf der Straße kann ich es nicht mehr anziehen, weil es einen großen Farbfleck hat und ein paar kleine, aber es ist genau richtig zum Zuhausetragen und Gutaussehen, ohne daß es so aussieht, als wollte man einen guten Eindruck machen.

Es ist immer schwierig, sich für jemanden anzuziehen, der einen zu Hause besucht und für den man gut aussehen will. Weil man zu Hause normalerweise nicht besonders gutangezogen herumläuft und wenn doch, weiß der andere sofort, daß man sich nur wegen ihm so angezogen hat. Das ist etwas anderes, wenn man sich auswärts trifft, weil man sich da auch für die Öffentlichkeit gut anzieht.

Dann ziehe ich noch meine Jeans an und räume die Reste von meinem desolaten Fernsehabend weg, verteile ein paar interessante Bücher in der Wohnung und auf meinem Nachttisch, verstecke ein paar Dinge, die er nicht sehen soll, und dann klingelt es auch schon. Vor der Tür steht Schäfer, die Arme voller Tüten. Das ist mir alles ein bißchen zuviel so früh am Morgen. Ich begrüße ihn, und wie er mir einen Kuß geben will, fällt mir ein, daß ich vergessen habe, mir die Zähne zu putzen, und ich drehe meinen Kopf schnell zur Seite, so daß der Kuß auf meinen äußeren Mundwinkel trifft.

Ich zeige ihm, wo die Küche ist, und gehe ins Bad, um mir die Zähne zu putzen. Wie ich wiederkomme, ist er schon dabei, den Tisch zu decken und das Zeug auszubreiten, das er mitgebracht hat. Das ist mir gar nicht so recht, daß sich einer so ausbreitet in meiner Küche, bevor ich noch richtig aufgewacht bin. Jetzt will ich ihm einen richtigen Kuß geben, als Entschädigung für den verrutschten, aber er ist so beschäftigt mit dem Frühstück, daß er meine Absicht nicht bemerkt und mir nur einen schnellen Kuß auf die Backe gibt. Ich setze mich und frage ihn, ob er auch eine Zeitung mitgebracht hat. Das soll ein Scherz sein, weil er sonst an wirklich alles gedacht hat. Er schaut erschrocken und sagt, daran hätte er nicht gedacht, daß ich Zeitung lesen will beim Frühstück, aber er würde mir gerne eine Zeitung holen. Weil er so blöde schaut und den Witz nicht kapiert hat, schicke ich ihn runter zum Zeitungholen. Ich bin immer noch sauer auf Schäfer, der nie zu Hause ist und mich morgens mit einem Frühstück überwältigt. Deshalb fange ich ohne ihn zu essen an. Dabei muß ich daran denken, daß ich diejenige bin, die nie zu Hause ist und ihn nicht angerufen hat, wie ausgemacht und daß der Zeitungsladen unten im Haus seit Wochen geschlossen ist und er bis zum Winterfeldplatz laufen muß, um eine Zeitung zu kaufen. Da tut er mir leid, weil er sich so eine Mühe gibt und dann auch noch herumgeschickt wird von mir, und wenn er wiederkommt, habe ich schon fertig gefrühstückt und lese die Zeitung, während er alleine vor sich hinfrühstücken kann. Das hat er nicht verdient. Ich lege mein Brötchen wieder hin und überlege, was ich ihm Gutes tun könnte, aber mir fällt nichts ein.

Er ist wieder da mit einer Zeitung, ganz rot und verschwitzt. Er sagt, der Zeitungsladen unten im Haus wäre geschlossen und er hätte bis zum Winterfeldplatz laufen müssen, um eine Zeitung zu bekommen. Ich sage, so einen Umstand hätte er sich nicht machen müssen und was ich ihm dafür Gutes tun kann. Er sagt, er wird sich was überlegen, und dann setzt er sich hin und liest Zeitung. Er sitzt tatsächlich das ganze Frühstück über da mit der Zeitung vor dem Gesicht und sagt kein Wort. Das ist ein starkes Stück. Ich halte mir auch eine Zeitung vors Gesicht, aber lesen kann ich kein Wort. Irgendwann halte ich es nicht mehr aus, und ich sage, und, was machen wir jetzt, da fällt mir auf, daß wir noch gar nicht richtig miteinander gesprochen haben, seitdem er hier ist. Er legt die Zeitung weg und lacht und sieht dabei extrem nett aus. Ich habe ihn mir noch gar nicht richtig angeschaut. Er hat ein schönes braunes Hemd an und schöne braune Zwinkeraugen, wie ich sie am liebsten mag. Ich denke mir, daß ich ganz schön blöd bin, daß ich mich so anstelle, wo sich so ein Prachtmann mit einem Frühstück um mich bemüht. Ich will jetzt ganz schnell mit ihm ins Bett und den ganzen Tag nichts anderes. Er will reden. Er spricht von meinem Anruf, das ist mir peinlich, darüber will ich nicht reden, ich will überhaupt nicht reden. Ich will küssen und Kinder machen. Endlich hat er ausgeredet und sagt, das Schönste nach einem Frühstück ist, sich wieder ins Bett zu legen und ob ich auch ein Bett habe, in das er sich hineinlegen kann. Ich zeige ihm mein Bett und frage, ob er was dagegen hat, wenn ich mich dazulege. Er hat nichts dagegen, und ich lege mich dazu.

Er bleibt den ganzen Tag und die Nacht. Am nächsten Tag muß er nach Hause gehen. Sagt er. Ich will nicht, daß er geht, das sage ich nicht. Ich habe mich verliebt und zwar richtig, und jetzt fängt die Angst an, weil alles so schön und so richtig ist, daß es gar nicht gut gehen kann. Ich kann ihn nicht fragen: Und, liebst du mich auch? Wollen wir nie mehr auseinandergehen und es immer so schön haben? Bist du wirklich so nett, oder tust du nur so, um mir später das Herz zu brechen? Deshalb sage ich nur, bis bald, und er geht.

So ein scheißwindiges verzecktes saublädes Scheiß-
schweden. Viecher, wo man liegt und sitzt. Auf dem
Scheißhaus haben sich die Hornissen eingerichtet, die
Spinnen rennen über die Betten. Mücken sowieso und
Ameisen. So eine Natur will ich nicht. Ich will eine in-
sektenfreie Natur, in der ein paar Bienchen umhersum-
men und viele bunte Schmetterlinge. Da dürfte nur rein,
was keinen Stachel hat, dem Menschen nützlich ist oder
schön anzusehen. Alle anderen müssen draußen bleiben.
Der Wind auch. Der dumme Schwede auch. Ich sitze den
ganzen Tag im Haus, das schützt mich leidlich vor dem
Wind und den Insekten. Ich liege auf dem Bett, in der einen Hand die Fliegenklatsche, in der anderen das gute
Buch. Dazu trinke ich Schwedenmilch, die reinigt den
Darm. Lorenz ist mit Jimi beim Angeln, den ganzen Tag.
Das heißt, sie hängen eine Angel ins Wasser und kommen ohne Fische nach Hause. Jimi ist natürlich zu klein
zum Angeln, der zieht ein Boot an einer Schnur hinter
sich her. Vom Fenster aus kann ich sie sehen. Raus gehe
ich nur zum Pinkeln. Sie sitzen auf dem Wasser in dem
kleinen Boot, das nicht nur so aussieht, als würde es
gleich untergehen. Ein großer dunkler Punkt und ein
kleiner oranger. Wenigstens zum Lesen kommt man hier.
Und ruhig ist es auch, abgesehen von dem Möwenge-
schrei und den Motorbooten und den Rasenmähern.
    Das Rasenmähen ist dem Schweden seine große Lei-

denschaft. Damit versucht er die Natur zu bewältigen, und auf dem Rasenplatz gelingt ihm das sogar. Da wird jede Natur niedergemäht. Alle Ohnmacht gegen die Natur findet ihren Ausdruck im Rasenmähen. Da pfeift einem der Wind um die Ohren, da brennt die Sonne und regnet es aus Eimern, die Mücken, Bremsen, Zecken wollen ans Blut, bohren ihre Köpfe ins Fleisch, das widerwärtigste Viechzeugs auf Erden, und die arme Wiese muß dran glauben. Wird niedergemäht, als könnte sie etwas dafür, wär die Wurzel allen Übels.

Im Fernsehen schleicht sich eine Frau als Spionin ein und wird von einem Mann entdeckt und verfolgt. Erst denkt man, sie wäre die Böse. Aber daran, wie sie immer wieder stehenbleibt und verzweifelt ist und Angst hat, erkennt man, daß sie eine Gute ist und der Mann der Böse. Glaube ich, weil der Film wie alles hier auf schwedisch ist. Immer wenn ich einen Film in einer fremden Sprache sehe, denke ich, ich muß nur lange genug zuschauen und hinhören und dann macht es Klack in meinem Kopf und ich kann die Sprache verstehen. Es macht aber nicht Klack, deshalb schalte ich den Fernseher aus, und weil ich nicht mehr lesen mag, schaue ich aus dem Fenster und denke nach. Wenn man im Bett liegt und aus dem Fenster schaut, sieht der schwedische Abendhimmel mit dem goldenen Streifen und den dunklen Zweigen davor aus wie eine afrikanische Savannenlandschaft. Mein Kopf ist so leer, daß es darin dröhnt. Ich schaue in die von Blumengardinen eingerahmte Savannenlandschaft und denke darüber nach, ob es so ist, daß, wenn man erst viel trinkt und dann viel ißt, weniger pinkeln muß, als wenn man nichts gegessen hätte.

Marie

Ich denke den ganzen Tag darüber nach, wie das weitergehen soll. Dem Glück habe ich noch nie getraut. Besonders nicht, wenn es an den Männern hängt, das Glück.
Ich denke mir, daß ich mir nicht soviel Gedanken machen sollte und die Dinge kommen lassen, wie sie kommen. Aber das geht nicht, sich zu denken, daß man sich
keine Gedanken machen soll, dann macht man sich erst
recht Gedanken. Ablenken muß man sich.

Ich denke an Gloria, was die wohl darüber denken
würde. Das wüßte ich gerne. Es tut mir leid, daß wir uns
gestritten haben. So sinnlos. Ich rufe sie an, um alles wieder geradezubiegen und sie zu fragen, was sie von der Sache mit Schäfer hält. Ich rufe sie nicht an, weil sie mich
anrufen soll, schließlich hat sie mir unrecht getan und
deshalb muß sie mich anrufen und mich versöhnen und
nicht umgekehrt. Das hätte ich fast vergessen, aber das
hilft mir nicht weiter, weil ich dann nicht erfahre, was
Gloria darüber denkt, und ich würde gerne mit jemandem darüber reden, und Gloria ist die einzige, die die
Dinge richtig sieht. Jetzt habe ich gleich eine doppelte
Wut auf sie. Einmal, weil sie so selbstgerecht ist, und
zum anderen, weil ich deshalb nicht mit ihr reden kann.

Ich rufe Susan an. Die ist komisch verdruckst am Telefon, sagt kaum was und ist anscheinend immer noch
beleidigt. Ich frage sie, was los ist, und sie fragt, was mit
mir los sei. Ich sage, nichts, und lege auf. Ich denke mir,

daß es ein Elend ist, mit den Freundinnen und Freunden. Entweder man ist zerstritten, oder sie sind beleidigt, oder sie reden nur von sich und ihren Krankheiten.

Auf der Treppe treffe ich Andrea, und die erzählt mir von ihren Lebensmittelallergien und Blasenerkrankungen. Auf der Straße kommt mir Marita entgegen mit verheultem Gesicht, die wurde gerade von ihrem Freund verlassen und hat einen Gehirntumor, den sie ihr nächste Woche herausschneiden. Sie ist verzweifelt, weil sie nicht weiß, wo sie ihre zwei Kinder unterbringen soll, während sie im Krankenhaus liegt. So geht das den ganzen Tag. Ständig werde ich zugemüllt von anderer Leute Sorgen und Dreck. Alle reden von sich und ihren Sorgen. Man kann kein Gespräch beginnen, ohne daß einer seinen Dreck auf einem ablädt. Ich mache das doch auch nicht, gehe auf die Straße und erzähle jedem, der mir über den Weg läuft, daß ich Kopfschmerzen habe und mich in Wolfgang Schäfer verliebt habe und ganz verzweifelt bin, weil ich nicht weiß, wie das weitergeht.

Gloria

Die ganze schwedische Verwandtschaft sitzt im schönen blauen Zimmer an dem großen Tisch und ißt Spaghetti mit Hackfleischsoße. Der Tisch ist mit dem feinen Porzellan gedeckt, und es stehen große Plastikkanister mit kalten Getränken herum. Wer etwas essen will, muß in die Küche gehen und sich das Essen aus großen Töpfen auf den Teller tun. Alle reden schwedisch und schneiden die Nudeln ganz klein, um sie dann mit einem Löffel zu essen. Nach dem Essen gibt es Eis mit Schokostreuseln und danach Kaffee mit Keksen.

Das ist wie bei meiner Verwandtschaft, daß man keine Minute ohne Essen herumsitzt. Nur ist meine Verwandtschaft völlig vergreist, und diese hier ist voller schwedischem Leben, besonders die Greise. Die Tante war mit ihren braven Kindern in Amerika und hat dort jeden Tag einen Film verschossen. Die Fotos dazu gibt es mit den Keksen. Ich verstehe kein Wort, aber das ist mir ganz recht, dann muß ich mich nicht höflich unterhalten, das ist immer das Anstrengendste. Ich sitze herum und döse vor mich hin, und ab und zu gebe ich als gute Mutter Jimi ein paar hinter die Löffel, wenn er zu laut wird. Ich bin glücklich. Das Kind in meinem Bauch bewegt sich, und die Glückshormone tun das ihre dazu. Sie versöhnen mich mit dem Land und der Natur. Ich liege in der Sonne, schwimme im kalten Wasser, die Sonne trocknet mich, der Wind kühlt mich, und die Bienchen summen um mich herum. Auf dem Wasser rührt mich eine Entenmutter mit ihren kleinen Entchen zu Tränen, als ein Entchen fast verlorengeht, weil es hinter den anderen hertrödelt. Ich bin voll dumpfen fetten Mutterglücks. Das hat die Natur schlau eingerichtet, daß sie einen gerade dann mit Glückshormonen bedröhnt, wenn man am wenigsten Grund dafür hat, glücklich zu sein, weil man sein Leben an den Nachwuchs vertut. Es gibt kaum ein seligeres Glück als das Mutterglück. Perverse Welt. Ich möchte, daß alle glücklich sind. Ich möchte auch, daß Marie glücklich ist. Von mir aus auch mit dem Martin. Ich möchte, daß Marie hier ist und mit mir zusammen glücklich ist. Ein Leben ohne Freundin ist ein trauriges Leben.

Marie

Wenn ich an Schäfer denke, laufen mir warme Schauer über die Arme, und ich bekomme eine Gänsehaut im Gesicht. Mich hat es dermaßen erwischt. Ich versuche, nicht ständig daran zu denken, aber das geht nicht. Wenn ich in der U-Bahn sitze, muß ich an ihn denken, im Schwimmbad, auf dem Fahrrad, in der Badewanne, überall bekomme ich eine Gänsehaut im Gesicht, und mein Magen knotet sich zusammen.

Er ruft mich an, er ist nett und lustig, aber er sagt nie, daß er mich liebt. Nicht einmal, daß er in mich verliebt ist. Ich sage das natürlich auch nicht, bin ja nicht blöd. Ich weiß nicht einmal, ob er eine Freundin hat, die gerade verreist ist oder in einer anderen Stadt lebt. Ich weiß gar nichts von ihm. Warum er so ein großes Bett hat mit zwei Decken und drei Zahnbürsten und was er von mir will. Es gibt nichts an ihm auszusetzen, das ist das Schlimme, nur daß alles so unverbindlich bleibt. Er sagt nicht, daß er mich heiraten will, mit mir zusammenziehen oder Kinder kriegen. Er kommt, und wir haben es schön und lustig miteinander, und dann geht er wieder. Nicht, daß ich ihn heiraten will oder Kinder kriegen oder zusammenziehen. Bestimmt nicht, aber er könnte es wollen, zumindest daran denken oder mir wenigstens sagen, daß er in mich verliebt ist. Seit drei Wochen geht das so, das heißt, vor drei Wochen habe ich ihn kennengelernt, da kann man doch mal über Liebe reden. Ich denke an das Arschgesicht, das schon nach einer Nacht davon gesprochen hat, daß er noch keine vor mir so geliebt hat, und am nächsten Tag wollte er schon Kinder von mir. Da denke ich mir, ist es eher ein gutes Zeichen, daß Schäfer gar nicht darüber redet, aber sicher bin ich mir nicht.

Der Martin ruft an, er ist wieder in Berlin und möchte mich sehen. Ich soll zu ihm ins Hotel kommen. Er ist aufgedreht und zugekokst und redet die ganze Zeit nur von der Gewitternatter, die er letztes Wochenende kennengelernt hat. Das kränkt mich, daß ich zu ihm komme und er mir die ganze Zeit von dieser Natter erzählt. Auch wenn ich nichts von ihm will, könnte er wenigstens was von mir wollen oder zumindest so tun oder wenigstens soviel Takt haben, mir nicht ständig von anderen Frauen zu erzählen. Schließlich erzähle ich ihm auch nicht von Schäfer und seinen Zwinkeraugen und was er gesagt hat und vor allem nicht, was er mit mir gemacht hat. Schon wieder bekomme ich eine Gänsehaut, aber das merkt der Martin nicht. Der möchte ausgehen, *richtig einen draufmachen* und vorher ordentlich die Nasen pudern. Er geht mir auf die Nerven mit seinem lärmigen Geschwätz, seinem lauten nur von sich Gerede. Ich sage ihm, daß ich schon verabredet bin, was nur halb stimmt, darüber ist er sogar richtig enttäuscht. Ich lasse ihn alleine in seinem Hotel sitzen und fahre zu Schäfer, weil ich so eine Sehnsucht nach ihm habe.

Gloria

Ich schreibe Marie einen langen Brief. Ich fange an, mich nach Hause zu sehnen, nach meiner Wohnung und meinen Freunden. Nach einer großen stinkenden Stadt, die an den Nerven zerrt. Nach grauen Regentagen und vertrauten Wegen. Ausgehen will ich, solange ich noch laufen kann. Das gute Wetter nimmt kein Ende.

Heute regnet es. Wir gehen Gummistiefel kaufen. Überall in Schweden kann man Gummistiefel kaufen. In jedem Supermarkt stehen Gummistiefel in allen Sorten und Größen. Dabei regnet es in Schweden nicht wesentlich mehr als in Deutschland. Alle anderen Länder tun so, als wäre das Wetter bei ihnen besser als es ist. In Spanien haben die Häuser keine Heizungen, in England habe die Busse keine Türen, und in Italien gibt es keine Regenschirme. Nur die Schweden machen sich keine Illusionen. Die machen aus der Not eine Tugend und stellen der Welt beste Gummistiefel her.

Wir fahren ab, bevor Lorenz' Mutter kommt mit seinen Schwestern. Die liegen den ganzen Tag im Bett, trinken Kaffee und essen Tütensuppen mit Sahnesoße. Aber nur nachts. Wenn andere Leute schlafen, essen die. Und rauchen und stecken die Kippen in die Kaffeetassen. Am nächsten Tag fällt man über die Kaffeetassen, und der Kühlschrank ist leer. Wo man hintritt, steht eine Kaffeetasse mit einer Kippe drin. Das fällt denen nicht auf, weil die schlafen, und wenn sie endlich aufwachen, haben wir schon längst die Kaffeetassen alle eingesammelt und wieder abgespült. Dann räumen die sie wieder heraus, schmeißen Kippen hinein und lassen sie überall herumstehen. Das ist anstrengend. Deshalb fahren wir schnell nach Hause. Das verstehen die nicht und sind traurig, weil sie uns nicht sehen, vor allem wegen Jimi. Die denken, sie wären uns eine große Hilfe, wenn sie die zwei Stunden, nachdem sie aufgestanden sind und bevor Jimi ins Bett geht, mit ihm spielen, ihm Sahne zu trinken geben oder mit Tütensuppen füttern. Das ist wahr, das habe ich zufällig beobachtet, wie die Oma ihm Sahne statt Milch in seinen Becher gefüllt hat. Da sind viele Vitamine drin, sagt sie. So sehen die auch aus. Es ist nicht so, daß wir die nicht mögen. Im Gegenteil. Die Mädchen sind lustig und können schön singen, es ist nur immer anstrengend mit ihnen. Wir fahren aber vor allem, weil wir Heimweh haben. Sogar Jimi sehnt sich nach seinem Spielzeug. Jetzt, wo wir die letzten Tage noch richtig genießen wollen, regnet es. Ich wünsche mir eine große Wohnung, in der man herumlaufen kann. Wenn wir uns bewegen wollen, müssen wir rausgehen, in den Regen, weil das Häuschen so klein ist. Es besteht nur aus einem Zimmer mit einem Bett. Abwaschen muß man draußen, kochen, duschen und alles andere auch. Deshalb fahren wir. Sofort.

Marie

Unterweges denke ich noch, ich sollte ihn besser vorher anrufen, aber da stehe ich schon fast vor seinem Haus, und eine Telefonkarte habe ich auch nicht. Ich drücke mich noch eine Weile am Kanal herum, schaue den Schiffen zu und den Schäferhunden, und obwohl ich so eine Sehnsucht habe, traue ich mich nicht hinauf, aus Angst vor einer bösen Überraschung. Ich suche nach einer Telefonzelle, aber weil ich keine finde, die mit Münzen zufrieden ist, fahre ich wieder nach Hause.

Ich muß an Thomas Bader denken. Meine erste große Liebe, den ich damals, nachdem wir uns gestritten hatten und länger nicht gesehen, überraschen wollte mit einem morgendlichen Besuch. Es war Winter, und es hatte geschneit. Ich bin mit meinem Fahrrad fünf Kilometer weit durch die dick verschneiten Straßen gefahren, voller Vorfreude und liebevoller Gedanken. Ich habe mir vorgestellt, wie er mir verschlafen die Tür öffnet und mich in seinem Bett aufwärmt und wie glücklich er sein wird, mich zu sehen. Ich steige über den Zaun, laufe durch den verschneiten Garten, klopfe an sein Fenster, und ein häßliches zerquetschtes Frauengesicht glotzt mich an. Das liegt in seinem Bett. Ich laufe davon, und er läuft mir hinterher. Nackt rennt er hinter mir her durch den Schnee und ruft meinen Namen. Es ist dann alles wieder gut geworden, aber so einen Schreck möchte ich nicht noch einmal bekommen.

Zu Hause rufe ich Schäfer an. Der freut sich. Ich sage ihm, daß ich gerade vor seinem Haus gestanden und mich nicht hineingetraut habe. Endlich sage ich, daß ich nicht weiß, ob er eine Freundin hat und daß es mich ganz krank macht, daß ich nicht weiß, wie es um uns steht und daß ich das gerne wissen will, weil ich mich nämlich in ihn verliebt habe und zwar heftig. Ich fange fast an zu heulen, so bricht das aus mir heraus. Er sagt, ich soll sofort zu ihm kommen, und er kocht mir was zu essen, weil man auf solche Gedanken nur kommt, wenn man lange nichts Anständiges gegessen hat. Ich lege auf, und jetzt fange ich wirklich an zu heulen vor Glück und Erleichterung, daß es endlich heraus ist. Ich nehme mir ein Taxi, weil ich mich in diesem Zustand nicht in die U-Bahn setzen kann. Das ist keine gute Entscheidung, weil der Taxifahrer eine dicke fette Sau ist, die mich beschimpft, weil ich eine Rechnung von fünfunddreißigmark mit einem Hundertmarkschein bezahle. So ist das immer in dieser Stadt. Wenn man es am wenigsten brauchen kann, kommt einer und haut noch auf einen drauf.

Völlig verheult komme ich bei Schäfer an, ich weiß auch nicht, was mit mir los ist, eine Nervenkrise oder sowas Ähnliches. Er gibt mir etwas zu essen, und dann legt er mich ins Bett und sagt, er muß nochmal weg, und ich kann in seinem Bett liegen bleiben, solange ich will. Ich liege alleine in seinem großen Bett, und das Wasser klatscht leise gegen die Mauer. Das ist das schönste Bett, in dem ich je gelegen bin. Ich denke, hier gehe ich nicht mehr weg. Ich trinke Whiskey aus einem großen Glas und schaue aus dem Fenster in den schwarzen Himmel hinein. Es kommt mir vor, als wäre ich lange krank gewesen und nach einem langen Schlaf genesen. Das macht der Whiskey, aber nicht nur. Ich denke an Schäfer, daß er zurückkommen wird, wenn ich schlafe, und diesmal macht mein Magen keinen Knoten, sondern wird ganz heiß vor Glück. Ich denke auch an Gloria und an meine Eltern und an noch viel mehr und schlafe dabei ein.

Ich wache auf und habe das Gefühl, daß ich schon lange geschlafen habe. Vom Fenster weht ein eisiger Wind herein, der hat mich geweckt. Mir ist kalt, und ich liege immer noch alleine im Bett. Ich mache das Fenster zu und suche nach einer Uhr, finde keine. Ich nehme die andere Decke und lege sie auf mich drauf. Jetzt kann ich nicht mehr schlafen. Ich liege wach und zähle die Minuten. Ich lausche, ob jemand kommt, aber es kommt niemand. So liege ich tagelang. Nach einer Ewigkeit höre ich, wie die Tür aufgeschlossen wird. Da habe ich schon nicht mehr daran geglaubt, daß noch jemand kommt. Er geht ins Bad, das Wasser läuft, die Klospülung. Er zieht sich im Dunkeln aus und legt sich ins Bett. Ich mache mich ganz steif und stelle mich schlafend. Er liegt neben mir und küßt mich leise aufs Ohr. Er riecht nach Bier und Fritten. Ich bewege mich nicht. Er sucht nach der zweiten Decke, findet sie und deckt sich damit zu. Meine Decke stopft er fürsorglich fest um mich herum. Ich bewege mich immer noch nicht. Nach wenigen Minuten ist er eingeschlafen, das höre ich an seinem Atem.

Jetzt kann ich erst recht nicht mehr schlafen. Ich bin halb tot von der Wut, die ich nicht loswerde. Ich möchte ihn schütteln und ohrfeigen. Das geht nicht. Nicht, weil der Mann mitten in der Nacht nach Hause kommt. Da muß man so tun, als würde man das gar nicht merken und sich auf andere Weise rächen. Ich könnte aufstehen und nach Hause fahren. Das hätte er dann davon, daß er morgen früh aufwacht und ich weg bin. Wenn er anrufen würde, wäre ich nicht zu Hause, und er hätte genügend Zeit, ein schlechtes Gewissen zu bekommen und sich zu überlegen, was er falsch gemacht hat. Ich mag aber nicht nach Hause fahren, mitten in der Nacht. Für ein Taxi habe ich kein Geld mehr, und in die U-Bahn setze ich mich nicht. Stundenlang auf windigen Bahnsteigen herumstehen, um dann im stinkenden Abteil mit Blöden und Betrunkenen zu sitzen. Ich will bei Schäfer im Bett liegen bleiben, auf den ich so eine Wut habe. Ich möchte neben ihm aufwachen und nie mehr nach Hause gehen müssen.

Damit ich endlich schlafen kann, denke ich mir, daß er bestimmt einen Grund dafür hat, daß er so spät nach Hause kommt und mich allein gelassen hat. Wahrscheinlich arbeitet er nachts in einer Frittenbude und schämt sich dafür und traut sich nicht, mir das zu sagen, und um das alles zu ertragen, muß er ganz viel Bier trinken. Ich denke mir, ich kann froh sein, daß er nicht völlig betrunken ist und rumrandaliert, sondern rücksichtsvoll und leise und die Decke um mich feststopft. Das zeigt, daß er mich liebt, und deshalb muß ich ihm auch vertrauen. Mit diesen vernünftigen Gedanken und einem großen Schluck Whiskey schlafe ich wieder ein.

Gloria

Im Zug sitzt dieser unglaublich häßliche Mann. Er sieht aus, wie man sich einen Menschen vorstellt, der unglaublich häßlich ist. Mit hervorquellenden Augen und einem Gesicht voller Warzen, das auf einem teigigen Hals sitzt. Er ist klein und schief, und sein Kopf wackelt ständig. Er starrt mich an beim Vorbeigehen. Ich kriege Angst und denke an alles Böse auf dieser Welt. Wir gehen wieder zurück, an ihm vorbei, ich trage Jimi auf dem Arm. Der ist schwer und schläft. Der häßliche Mann sitzt alleine an einem Tisch mit vier Plätzen in diesem Großraumabteil. Er sieht, daß wir keinen Platz finden und steht auf. Er ist viel kleiner als ich und ganz krumm. Er bietet uns höflich seinen Platz an und setzt sich drei Reihen weiter. Ich sitze so, daß ich ihn anschauen muß. Er starrt zu mir herüber, mit seinen hervorgequollenen Augen, und dabei wackelt sein Kopf. Ich lächle ihm zu und setze mich so hin, daß ich ihn im Rücken habe und nicht mehr anschauen muß. Ich denke darüber nach, wie häßlich dieser Mann ist. Ob er ein Engel ist, der sich verkleidet hat und nur wer über sein häßliches Äußeres hinwegsieht, wird belohnt, weil er in seinem Inneren strahlt und gut ist wie kein anderer. Oder er war in seinem früheren Leben ein böser Mensch, der jetzt mit Häßlichkeit bestraft wurde und viel Gutes tun muß, um seine Seele zu retten. Irgend sowas in der Art. Jetzt muß Lorenz ihn anschauen. Dem macht das nichts aus. Ich sehe, wie er ihm zulächelt.

Wenn einer eine lange Reise machen will, sowas wie um die halbe Welt fliegen, sollte er vorher mit einem Kleinkind in einem überfüllten ICE ohne Platzreservierung von Berlin nach München fahren. Es reicht auch bis nach Stuttgart. Alles andere danach wird ihm wie eine Erholung sein. Er wird zwölf Stunden in einem Flugzeug sitzen und jede Minute genießen. Ich würde das auf jeden Fall tun. Dabei fällt mir ein, daß ich jede Minute genießen sollte, in der mir nur ein Kind auf dem Schoß sitzt. Das hatte ich schon wieder vergessen und fällt mir jetzt ein, weil mir plötzlich schlecht wird. Ich gehe aufs Klo, wieder vorbei an dem Mann, der mich anstarrt, ohne mich zu sehen, und will mich übergeben, aber es gelingt mir nicht. Wie ich zurückkomme, ist Lorenz mit dem schlafenden Jimi im Arm eingeschlafen. Ich sitze ganz allein mit meiner Übelkeit im Großraumabteil. Ich schaue aus dem Fenster, aber es ist Nacht. Draußen ist es dunkel, und ich schaue in mein Gesicht hinein. Der häßliche Mann starrt in meinen Nacken. Das kann er gar nicht, aber ich mache mich trotzdem ganz klein in meinem Sitz. Ich weiß, daß ich nicht schlafen kann, deshalb versuche ich es gar nicht. Ich mache nur die Augen zu, und auf einmal bin ich weg, aber das merke ich erst, wie ich wieder aufwache.

Ich wache auf, weil der Käpt'n eine Durchsage macht. Die modernen Züge wollen nämlich Flugzeuge sein und haben deshalb alles übernommen, was einen schon immer am Fliegen gestört hat. Lautes Ansagegerede, wenn man gerade eingeschlafen ist, daß man die Fenster nicht aufmachen kann und enge Schalensitze, die verhindern sollen, daß man einschläft. Und das, was das Fliegen zum Vorteil macht, wie schnellstmöglich von einem Ort zum anderen zu gelangen, ohne lästige Zwischenstops bei optimaler Betreuung und freiem Essen und Trinken, das hat die Bahn weggelassen. Schien nicht wichtig. Das muß man sich mal vorstellen. Da kriegt einer einen Haufen Geld für so ein Zugdesign.

Es scheint eine große Angst davor zu geben, daß Menschen es sich gemütlich machen in öffentlichen Räumen. Oder sogar schlafen. Das scheint der Vorstellung von modern, die diese Designer haben, zu widersprechen. Modern ist möglichst aufrecht und hart sitzen, mit möglichst wenig Aktionsradius für den einzelnen. Dabei zeigt der schöne alte Liegewagen, daß man durchaus sechs Leute liegend in einem Abteil unterbringen kann. Warum sind nicht alle Abteile so ausgestattet wie ein Liegewagen? Da können bequem vier sitzen und zwei liegen, oder alle liegen. Das Deckenlicht kann man ausschalten, und jeder hätte ein kleines Leselämpchen.

Oder auf Flughäfen. Wenn man eine große Flugreise macht, ist man meistens gezwungen, einige Stunden auf Flughäfen zu verbringen. Manchmal sogar ganze Tage oder Nächte. Schalensitze aus Plastik und Neonröhren auf der ganzen Welt. Nur auf dem Frankfurter Flughafen gibt es drei Liegesessel. Da scheint es einen allgemeinen tiefen Widerwillen zu geben, daß der Mensch sich ausstreckt und ausruht.

Der Käpt'n, der natürlich kein echter Käpt'n ist, sondern nur ein windiger Bahnangestellter, der nicht englisch oder französisch spricht, wie ein Flugkapitän, sondern schwäbisch, sagt, daß wir alle in Wannsee aussteigen und mit der S-Bahn zum Bahnhof Zoo fahren müssen. Um ein Uhr nachts. ICE. Fünf Minuten vor Ankunft. Das wußten die bestimmt schon seit Tagen und sagen es

einem fünf Minuten vor Ankunft, um 12 Uhr siebenund-
fünfzig, weil da keiner viel Ärger machen kann, weil man
gar nicht die Zeit dazu hat und die Kraft auch nicht mehr,
nach sieben Stunden Schalensitzen und einem schlafenden Kind auf dem Schoß, das man nirgendwo hinlegen
kann. Wenn ich könnte, würde ich mich auf einem Scha-
lensitz übergeben. Als Protest und Kritik an diesen
Scheißzuständen. Aber das trifft wieder die Falschen.
Eine arme Putzsau müßte sich mit meinem Erbrochenen
abmühen. Nicht einmal den falschen schwäbischen Ka-
pitän könnte ich damit treffen, geschweige denn diese
Penner von Designern, die sich diesen ganzen Dreck
ausgedacht haben und damit reich geworden sind. Denen wünsche ich drei Kleinkinder, und dann müßten sie
eine Woche lang Zugfahren. Durch Deutschland. Mit
den Kindern. Aber kein Liegewagen. Auch kein Schlaf-
wagen, sondern im extra dafür eingerichteten Kleinkind-
abteil. Jetzt weiß ich auch, wieso es so eine günstige
Familien-Bahncard gibt.

Marie

Schäfer und ich stehen bei Reichelt. Wir kaufen Waschmittel und Klopapier, und weil wir hungrig sind, alles was uns schmecken könnte. Schäfer ist darin echter Profi, was das Einkaufen angeht. Von so einem Mann habe ich immer geträumt. Einer, der im Supermarkt die Führung übernimmt.

Zu Hause essen wir alles auf. Dann muß er arbeiten gehen. Wir liegen noch ein bißchen im Bett herum und wollen uns nicht trennen, bis es viel zu spät wird. Es ist ein Montag, aber der Tag ist mehr ein Sonntag. Deshalb bleibe ich liegen und schaue mir Vormittags-Talkshows an, bis mir schlecht wird.

Dabei muß ich an Wilhelm denken, der, seitdem er einmal Schreinemakers gesehen hat, glaubt, er hätte multiple Sklerose. Dazu muß man sagen, daß der Wilhelm ein echter Hypochonder ist. Wenn man dem von irgendeiner Krankheit erzählt, entwickelt er innerhalb kürzester Zeit die Symptome, die man ihm gerade beschrieben hat. Einmal hat er wirklich was gehabt. Da ist er zum Arzt gegangen, und der hat einen Knoten in seinem Hoden festgestellt. Da mußte er sofort operiert werden, und bis zuletzt wußte er nicht, ob der Knoten ein guter oder ein böser ist. Es war ein guter, aber die Chancen standen dreißig zu siebzig gegen ihn. Da hat er Glück gehabt. Ich habe ihn damals besucht, im Krankenhaus. Darüber hat er sich sehr gefreut, weil wir uns gar nicht so nahestanden. Er hat mir leid getan, weil ich dachte, da denkt einer immerzu daran, daß er eine schlimme Krankheit bekommen könnte, und dann passiert das wirklich. Als ich ihn besucht habe, war er guter Dinge. War ja auch nichts. Wir sind zusammen den verklebten Krankenhausflur auf und ab gegangen, und er hat versaute Witze gemacht. Auch über seine Hoden. Mir war schlecht, weil mir immer schlecht wird in Krankenhäusern.

Auf jeden Fall hat Wilhelm eines Abends Schreinemakers gesehen, und da kam ein Mann im Rollstuhl hereingerollt, der hatte multiple Sklerose. Der Mann erzählte über seine Krankheit und wie sie angefangen hat, nämlich mit einem tauben Gefühl im Bein, glaube ich. Darauf hatte Wilhelm am nächsten Tag auf der Arbeit ein taubes Bein. Er wollte aufstehen und hat sein linkes Bein nicht mehr gespürt. Das ging wieder vorbei, aber seitdem glaubt er, er hätte multiple Sklerose. Jetzt geht er jedes Wochenende auf ein Seminar für Todkranke, und das gibt ihm *unheimlich viel Kraft*. Das meint der im Ernst. Noch dazu macht er eine Analyse bei einer Analytikerin mit multipler Sklerose. Nach jeder Sitzung fragt er sie aus, nach ihren Symptomen und wie die Krankheit bei ihr angefangen hat. Bei ihr fingen die Beine an zu kribbeln, und seitdem kribbeln auch Wilhelms Beine. Sie werden nicht mehr taub, dafür kribbeln sie immer. Besonders nach dem Trinken.

Beim Durchschalten bleibe ich an einem Interview mit Hildegard Knef hängen. Ich habe noch nie viel von Hildegard Knef gehalten. So eine Alte, habe ich mir immer gedacht, die schlecht singt und ihr Augen-Make-up nicht auftragen kann, aber ich bleibe daran hängen, weil diese

Sendung ganz anders ist, als man das vom Fernsehen gewohnt ist.

Die Sendung ist in schwarzweiß und wahrscheinlich aus den sechziger Jahren. H. K. und der Interviewer und noch ein Mann, der glaube ich der Lebensgefährte der Knef ist, sitzen in schönen Sesseln und unterhalten sich ganz ruhig. Auch die Kamera bleibt immer ganz lange auf den Gesichtern. Die Knef sitzt mit angezogenen Beinen, wie ein junges Mädchen, auf ihrem Sessel. Ihr Lebensgefährte, oder der, den ich dafür halte, sitzt neben ihr und sagt nie was. Er ist nur dabei und schaut sie an, und ab und zu schiebt er ihr die Schachtel Zigaretten hinüber oder gibt ihr Feuer, wenn sie eine rauchen will. Sie muß ihn nicht darum bitten, er weiß das. Sie kümmert sich nicht weiter um ihn, aber man hat das Gefühl, daß es wichtig ist, daß er da ist. Das finde ich so bemerkenswert, ich weiß auch nicht warum. Ich finde das eine ganz außerordentliche Situation. Das liegt auch daran, wie die Knef spricht. Mit ihren angezogenen Beinen, wie sie auf dem Sessel kauert, dabei raucht und ganz konzentriert spricht. Manchmal macht sie lange Pausen, um nachzudenken, und das stört niemanden, den Interviewer nicht und auch den Lebensgefährten nicht. Niemandem ist das unangenehm, daß sie so lange nach den Worten sucht, obwohl sie im Fernsehen sind. Das Interview geht glaube ich fünf Stunden, oder so. Es werden nur kluge Fragen gestellt, auf die sie auch sehr klug antwortet. Richtig intellektuell geht es da zu. Sie sprechen viel über das Buch, das sie geschrieben hat, ihre Memoiren, die bei meinem Vater im Bücherregal stehen, neben dem Kishon und dem Simmel, und ich bin auf einmal tief beeindruckt von dieser Frau. Aber auch von einem Fernsehen, das so ganz anders ist, als diese tausend Blödshows, und das nicht wegen dem Schwarzweiß.

Ich rufe Gloria an, weil sie sich das anschauen soll, weil sie weiß, was ich damit meine. Das mit dem Fernsehen und der Knef und ihrem Lebensgefährten. Gloria ist da und sagt, daß sie gerade vor dem Fernseher sitzt und der Knef zuschaut. Wir reden nicht viel am Telefon. Ich merke, wie sie sich über meinen Anruf freut und wir verabreden uns später im Café. Ich schaue weiter der Knef zu, und mein Herz ist so leicht, daß ich weinen könnte.

Gloria

Obwohl ich eine Viertelstunde zu früh bin, sitzt Marie schon im Café. Das kann ich sehen, bevor sie mich sieht. Ich weiß gar nicht warum, aber mein Herz fängt an, wie wild zu klopfen, und ich bekomme ganz nasse Hände, wie ich sie da sitzen sehe, als wäre ich zu einem ersten Rendezvous unterwegs. Ich freue mich sie zu sehen, aber ich weiß nicht, wie ich das machen soll. Einfach so tun, als wäre nichts gewesen und mich zu ihr setzen? Wie soll ich sie begrüßen, und bin ich eigentlich noch beleidigt? Muß ich mich jetzt entschuldigen, oder sie sich?

Ich bleibe vor ihrem Tisch stehen, eine ganze Weile, bis sie mich bemerkt. Sie schaut aus ihrer Zeitung hoch und erschrickt fast, weil ich so plötzlich vor ihr stehe, und ich sehe, wie sie sich freut, mich zu sehen. Sie lacht mich nur an, und ich sage, daß das das erste Mal ist, daß sie vor mir irgendwo ist.

Marie erzählt mir die ganze Geschichte mit Schäfer, und ich schäme mich, weil ich so ein blödes Theater gemacht habe und auch noch zu Unrecht, aber das sage ich ihr nicht. Ich sage, daß es für mich auch keine leichte Zeit gewesen ist und daß sie sich auch mal um mich hätte bemühen können, wenn sie mich als Freundin vermißt hätte, auch wenn ich mich blöde benommen habe, aber das muß man auch mal dürfen, sich blöde benehmen. Marie sagt, das stimmt, und daß wir uns beide blöde benommen haben, und ich stehe auf und hole mir endlich was zu trinken.

Neben der Theke steht die Bedienung, die mich eigentlich bedienen sollte, und unterhält sich mit einem. Ich starre sie an und stehe dicht neben ihr, aber sie schaut mich nicht an und tut so, als ob ich nicht da wäre. Das macht die jedesmal so, wenn man etwas bestellen will. Immer redet sie gerade auf jemanden ein, und aus ihrem Mund kommt nur Scheiße. Genau so riecht es auf einmal. Das, was so stinkt, kommt aus ihrem Mund. Da quillt braunes stinkendes Zeug raus und stinkt zum Davonlaufen. Ich will davonlaufen, aber mein Durst ist größer. Ich halte mir die Nase zu und bestelle mir eine große Apfelschorle in ihr stinkendes Gerede hinein. Sie glotzt mir blöde auf den Bauch, deshalb sage ich, daß ich draußen sitze und gehe weg. Jetzt muß sie mir mein Getränk bringen. Das ist nicht üblich in diesem Café, daß sich die Bedienung hinter ihrem Tresen wegbewegt, außer zum Einsammeln der leeren Gläser und Tassen, was sie alle drei Stunden schlecht gelaunt tut. Aber in meinem Zustand muß sie mich bedienen, wie es sich gehört für eine Bedienung. Nach einer halben Stunde bringt sie mir tatsächlich mein Getränk. Da bin ich zwar schon halb verdurstet, aber das ist es wert. Die Bedienung kennt mich genau, weil ich Stefan kenne, mit dem sie sonst immer arbeitet, und nur deshalb gehe ich in dieses Café. Wenn Stefan da ist, tut sie immer scheißfreundlich und mischt sich in jedes Gespräch. Wenn er nicht da ist, tut sie so, als hätte sie mich noch nie gesehen. Warum sie das tut, weiß ich auch nicht, wahrscheinlich weil sie dumm ist. Die ist so dumm, daß sie denkt, es wäre was Besseres, andere Leute zu bedienen, nur weil sie sonst nichts kann. Dabei kann sie nicht einmal das. Als sie mir mein Getränk bringt, bestellt Marie ein Bier bei ihr. Die Bedienung kennt Marie genauso wie mich, weil Marie auch mit Stefan befreundet ist, und deshalb kann sie Marie nicht darauf hinweisen, daß hier Selbstbedienung ist, wie sie es mit den anderen macht, die etwas bei ihr bestellen wollen. Sie tut so, als hätte sie nichts gehört, und Marie sagt ihr das nochmal, und sie nuschelt so im Weggehen, daß sich Marie ihr Bier am Tresen abholen kann. Das tut sie nicht, sondern wir gehen, ohne mein Getränk zu bezahlen.

Wir unterhalten uns darüber, was für Menschen man gerne mag und welche nicht und warum man sie mag und warum nicht und warum man manche erst gar nicht leiden kann, und dann werden sie die besten Freunde. Wir stellen fest, daß man am wenigsten die Menschen mag, die einen nicht mögen und offensichtlich mißachten und am allerwenigsten mag man die, wenn man sie eigentlich ganz sympathisch findet.

So war das auch mit Marie und mir. Ich fand sie immer sehr sympathisch, und sie hat mich nie gegrüßt, obwohl wir uns lose über einen gemeinsamen Freund kannten. Deshalb habe ich sie nicht leiden können. Marie fand mich auch sympathisch, aber sie dachte, daß ich eine andere wäre, die damals ihrer guten Freundin den Freund ausgespannt hat, und deshalb hat sie mich dafür gehaßt und nicht gegrüßt. Irgendwann stellte sich heraus, daß ich nicht die bin, für die sie mich gehalten hat, und von da an war Marie immer besonders aufmerksam und freundlich mir gegenüber, weil es ihr leid tat, daß sie mich die ganze Zeit grundlos schlecht behandelt hat und ich mochte deshalb Marie, die von einem Tag auf den anderen ihr Verhalten mir gegenüber geändert hatte.

Am nettesten erscheinen uns die Menschen, die wir sympathisch finden und die besonders freundlich zu uns sind und zeigen, daß sie uns auch mögen. Aber selber hat man immer Schwierigkeiten besonders freundlich zu jemandem zu sein, den man mag, bevor man sich sicher ist, daß der einen auch mag. Dabei findet man jeden halbwegs sympathischen Menschen nett, wenn er freundlich und aufmerksam ist, weil das der Eitelkeit schmeichelt und die Seele streichelt.

Marie sagt, aber am schönsten ist es, Menschen zu hassen, die man nicht leiden kann, weil sie dumm sind und durch und durch unsympathisch, also nichts haben, für das man sie mögen kann oder beneiden muß, so wie diese Bedienung, und die einen auch nicht leiden können. Das kann ich nicht finden, weil ich lieber mag, wenn die Leute mich mögen, auch wenn sie noch so unsympathisch sind, aber das liegt wahrscheinlich an meinem Zustand.

Marie

Schon früh morgens steigt eine dicke klebrige Hitze zum Fenster herein. Ich stehe auf und schließe die Fenster. Es ist erst sieben, aber zu heiß, um sich wieder ins Bett zu legen. Schäfer schläft fest, dem macht die Hitze nichts aus. Mir eigentlich auch nicht. Ich mag diese Zeit, wenn alle über die Hitze jammern, da mache ich gerne mit. Wenn man sich kaum oder nur langsam bewegen darf, weil man bei jeder Bewegung ins Schwitzen kommt, man die Vorhänge zuzieht und im abgedunkelten Raum auf dem Bett liegt und darauf wartet, daß es Abend wird und kühler. Da kann man mit gutem Gewissen zu Hause bleiben, und man hat keinen Freizeitstreß mit Baden gehen und in der Sonne liegen, weil es dafür viel zu heiß ist. An solchen Tagen geht es ums nackte Überleben. Das ist wie Krieg, nur ohne Schrecken.

Weil es so früh ist, beschließe ich, ins Schwimmbad zu fahren. Ich versuche, Schäfer zu wecken, aber der schläft wie ein Toter. Der schläft immer wie ein Toter. Am Anfang hat mich das fast gekränkt, als wir nebeneinanderlagen und ich vor Glück und Liebe nicht einschlafen konnte, ich wollte gar nicht schlafen, sondern jede Minute genießen, in der wir beieinanderliegen, und habe stundenlang an seinem schlafenden Körper geschnüffelt, während er wie ein Toter schlief. Das hat den nicht weiter durcheinandergebracht, daß ich neben ihm lag. Dafür riecht er gut. Kein Mensch riecht so gut wie Wolfgang

Schäfer. Ich rieche noch ein bißchen an ihm, er riecht so, wie man sich vorstellt, daß junge Mädchen riechen. Nach Milch und Honig. Weich und warm und trotzdem männlich. Sogar sehr männlich. Fast will ich mich wieder zu ihm ins Bett legen, aber ich fange an zu schwitzen, und deshalb ist mir mehr nach kühlem Wasser, als nach warmem Körper. Vorher rufe ich Gloria an, weil ich weiß, daß sie nicht mehr lange schlafen kann, und deshalb geht sie jeden Morgen ins Schwimmbad. Von ihr habe ich nämlich das mit dem frühmorgens Schwimmen gehen. Von alleine wäre ich da nicht drauf gekommen, weil ich viel zu faul bin für so was und zu unsportlich, aber ich weiß, wie gut man sich den ganzen Tag fühlt, wenn man seinen faulen Körper überwindet, mit Sport oder einer kalten Dusche oder gleich mit beidem. Gloria ist schon weg, oder schläft noch, auf jeden Fall geht niemand ans Telefon.

Wie ich unten stehe, bereue ich meinen Entschluß schon, weil mein Fahrrad einen Platten hat und ich deshalb mit der U-Bahn ins Schwimmbad fahren muß. An solchen Tagen mit der U-Bahn zu fahren, ist die Hölle, weil man da nur neben schwitzenden Wahnsinnigen sitzt. An solchen Tagen drehen alle Irren komplett durch, und alles, was sich am Rande des gerade noch Erträglichen bewegt, schlägt um in den schieren Wahnsinn.

Neben mir in der U-Bahn sitzt eine Frau und schneidet ständig komische Gesichter. Nach einer Weile merke ich, daß die dem kleinen Mädchen mir gegenüber gelten. Die beiden gehören zusammen. Das Mädchen ist ungefähr zehn Jahre alt, hat eine Blumenschleife im Haar und auf dem Schoß eine Tafel *XXL* Schokolade. Sie schaut auf das Stück Schokolade, das sie in der Hand hält. Das kannst du nicht mehr essen, sagt eine Frau neben mir, auf der anderen Seite. Sie ist auch schon älter und hat einen alten Hund bei sich, der in einer Tasche steckt. Da sind schon so viele Leute draufgetreten, auf den Boden. Der ist voll von Bakterien. Da wirst du krank davon. Das Mädchen nickt, und die Schokolade schmilzt in ihrer Hand. Die Frau reicht ihr freundlich ein Papiertaschentuch. Damit putzt sie sich umständlich die Finger ab, weil alle zuschauen, und legt dann das Stück Schokolade vorsichtig oben auf das Taschentuch. Ist Ihr Hund erkältet? fragt sie auf einmal. Dem tropft so Wasser aus der Nase. Die Frau schaut bei der Frage weg, so daß man denkt, sie hätte sie gar nicht gehört, aber nach einer Weile sagt sie, wenn man alt ist, nimmt man das nicht mehr so wichtig. Bei sich nicht und auch nicht bei den anderen. Dabei schaut sie die junge Frau an, die neben dem Mädchen sitzt. Die fragt, wie alt der Hund ist, und die Alte schaut wieder weg und sagt dann, 15 Jahre. *Die Leute sind viel zu feige, um Sterbehilfe zu leisten. Ich war Altenpflegerin. Ich weiß wovon ich spreche.* Die junge Frau wird verlegen und meint, das wäre eine zweischneidige Sache, und ich sitze mittendrin, und mir wird ganz schlecht. Die U-Bahn hält, und die junge Frau steigt aus. Beim Hinausgehen streichelt sie dem armen, kranken Hund den Kopf, und er beißt sie in die Hand.

Ich beschließe, auf dem Rückweg nach Hause zu laufen oder einen Bus zu nehmen, egal wie oft ich umsteigen muß, aber diesen Irrsinn tu ich mir heute nicht noch einmal an.

Das Bad ist tatsächlich ganz leer, und nur ein paar Schwimmer sind im kalten Becken. Trotzdem ärgere ich mich, weil Gloria nicht da ist und ich nur wegen ihr ins Prinzenbad gefahren bin. Sonst wäre ich nämlich ins Insulaner gefahren, mit dem Bus, der vor meiner Haustüre abfährt, und hätte mir den U-Bahn-Irrsinn ersparen können, und das schönere Bad ist der Insulaner außerdem. Mir fällt ein, warum ich eigentlich gar nie mehr ins Prinzenbad gehen wollte, weil mir Susan einmal erzählt hat, wie sie an einem heißen Sommertag im überfüllten Prinzenbad unter der Dusche stand und sich umgeschaut hat, und um sie herum waren nur Hautkranke mit Furunkeln und Abzessen, und einer mit einem offenem Bein sprang vor ihr ins Wasser. Das hat meinen Eindruck vom Prinzenbad nur bestätigt, und deshalb wollte ich da nie mehr hingehen. Ich gehe sowieso ungerne in öffentliche Bäder. Ich setze mich ja auch nicht mit fremden Menschen in eine Badewanne, und genau auf das läuft das hinaus, wenn man an einem heißen Sommertag in ein Freibad geht.

Früher, als ich noch in der Bismarckstraße gewohnt habe, bin ich oft ins Olympia-Bad gegangen, weil das so ein schönes eindrucksvolles Nazibad ist. Da hatte ich einen Sommer lang eine Saisonkarte und bin fast jeden Morgen dahin geradelt. Ich kam mir vor wie die junge Leni Riefenstahl, wenn ich in der Morgensonne den weiten Weg zum Bad hinaufgelaufen bin, vorbei an den bronzenen Statuen, um dann unter den hohen Tribünen meine Runden zu schwimmen.

Der Insulaner ist auch ein schönes Bad, aber nicht vergleichbar mit dem Münchner Dantebad. Ich muß wieder an den Sommer im Dantebad denken, mit Eva, aber diesmal ohne Schmerz, weil ich jetzt den Schäfer liebe, und wäre dieser Sommer nicht gewesen, hätte ich ihn nie kennengelernt, deshalb bin ich Eva dankbar, daß sie sich jetzt mit dem Klaus herumärgern muß, während ich mit Schäfer glücklich bin. Ich hatte nur ein bißchen Mitleid mit mir, damals, weil ich soviel leiden mußte, und deshalb kann ich Eva nie verzeihen.

Jetzt bin ich schon wieder in der tiefsten Vergangenheit, obwohl ich nur Schwimmen gehen wollte. Ich schaue mich um, ob ich jemanden mit einem offenem Bein sehe oder sonst was, das mich davon abhalten könnte, ins Wasser zu gehen. Das Wasser ist erstaunlich kalt. Zu spät sehe ich die irre Dicke, die am Beckenrand sitzt und laut und irre lacht, wenn ich vorbeischwimme. Es ist ein junges fettes Mädchen mit Haaren, wie sie die Frauen in den Filmen, die in Irrenanstalten spielen, haben, so als hätte sie ihr vormals hüftlanges Haar mit einer riesigen Schere selbst abgeschnitten. So zerrupft mit einem schiefen kurzen Pony. Ich schwimme in der Mitte des Beckens, damit ich nicht ständig an ihrem irren Gelächter vorbeischwimmen muß, da setzt sie sich an das Ende meiner Bahn, da wo ich wenden muß, und strampelt mit ihren fetten, wahnsinnigen, weißen Beinen im Wasser. Das ist zuviel. Ich steige aus dem Wasser, dusche mich gründlich ab und ziehe mich wieder an. Gerade als ich gehen will, kommt Gloria. Ich bin so froh, sie zu sehen, obwohl ich wütend auf sie bin, weil ich nur wegen ihr diesen ganzen Irrsinn schon so früh am Morgen durchmachen mußte. Aber dafür kann sie ja nichts. Gloria freut sich auch, weil sie gar nicht damit gerechnet hat, mich zu treffen. Ich bin besonders froh, unter diesen ganzen Irren endlich ein vertrautes Gesicht zu sehen, weil ich schon gar nicht mehr daran geglaubt habe, daß es noch solche Menschen gibt, aber ich glaube, ich steigere mich da in was hinein.

Manchmal, an ähnlichen Tagen, stelle ich mir vor, ich wache auf, und nichts ist so, wie es war. Die Freunde sind weg, und man ist nur noch von Irren umgeben. Man ruft seine Freundin an, und es dröhnt einem nur ein irres Gelächter entgegen.

Aber jetzt ist Gloria da, und wir gehen zu dem anderen Schwimmerbecken, wo das Wasser wärmer ist und keine Irren sind. Dann legen wir uns auf die Wiese und essen die Melone, die Gloria mitgebracht hat. Ich bin so froh, daß sie da ist, ich weiß gar nicht, was mit mir los ist. Ich bin so froh, daß ich so eine großartige Freundin habe, die so eine köstliche Melone mitgebracht hat. Wir legen uns unter einen Baum in den Schatten. Ich liege auf dem Rücken, und ein warmer Wind weht. Ich werde ganz schläfrig. Gloria spricht, und ich höre ihr zu. Über unseren blöden Streit und was das für eine Welt ist, ohne eine Freundin wie mich. Wie man überhaupt überleben soll, heutzutage, ohne eine Freundin, auf die man sich verlassen kann. Ich gebe ihr Recht, und ich sage ihr, daß sie immer mit mir rechnen kann, egal wieviele Kinder sie noch bekommen wird, und daß es nichts geben soll, was uns auseinander bringt. Von weitem hören wir das wahnsinnige Lachen von der Irren, und ich denke mir noch, daß man in dieser verrotteten Stadt wirklich nichts nötiger hat als eine Freundin wie Gloria.

Binnie Kirshenbaum im <u>dtv</u>

»Wer etwas vom Seiltanz über einem Vulkan lesen will, also von den Erfahrungen einer kühnen Frau mit dem männlichen Chaos, dem sei Binnie Kirshenbaum nachdrücklich empfohlen.«
Werner Fuld in der ›Woche‹

Ich liebe dich nicht und andere wahre Abenteuer
dtv 11888
Zehn ziemlich komische Geschichten über zehn unmögliche Frauen. Sie leben und lieben in New York, experimentierfreudig sind sie alle, aber im Prinzip ist eine skrupelloser als die andere … »Scharf, boshaft und irrsinnig komisch.« (Publishers Weekly)

Kurzer Abriß meiner Karriere als Ehebrecherin
Roman · dtv 12135
Eine junge New Yorkerin, verheiratet, linkshändig, hat drei außereheliche Affären nebeneinander. Sie lügt, stiehlt und begehrt andere Männer. Daß sie ein reines Herz hat, steht außer Zweifel. Wenn sie nur wüßte, bei wem sie es verloren hat, gerade. »In diesem unkonventionellen Roman ist von Skrupeln keine Rede. Am Ende fragt sich der Leser amüsiert: Gibt es eine elegantere Sportart als den Seitensprung?« (Franziska Wolffheim in ›Brigitte‹)

Ich, meine Freundin und all diese Männer
Roman · dtv 24101
Die beiden Freundinnen Mona und Edie haben sich im College kennengelernt und sofort Seelenverwandtschaft festgestellt. Sie sind entschlossen, ein denkwürdiges Leben zu führen. Und dabei lassen sie nichts aus … »Teuflisch komisch und frech. Unbedingt lesen!« (Lynne Schwartz)

Keinen Penny für nichts
dtv 24128
Verrückte Geschichten von verletzlichen Frauen, leichtsinnig und mit abgrundschwarzem Humor.

<u>dtv</u>

Amanda Cross im dtv

Verschwörung der Frauen
Kriminalroman · dtv 8453

Tödliches Erbe
Kriminalroman · dtv 11683

Süßer Tod
Kriminalroman · dtv 11812

Der Sturz aus dem Fenster
Kriminalroman · dtv 11913

Die Tote von Harvard
Kriminalroman · dtv 11984

In besten Kreisen
Roman · dtv 20190

Spionin in eigener Sache
Roman · dtv 20191

Gefährliche Praxis
Kriminalroman · dtv 20233

Albertas Schatten
Roman · dtv 20332

Das zitternde Herz
Roman · dtv 24169

Frances Fyfield im dtv

Schatten im Spiegel
Kriminalroman
dtv 11371
Die Anwältin Sarah
Fortune ist jung, schön,
erfolgreich – und rothaarig.
Was sie für einen ihrer
Klienten ganz besonders
interessant zu machen
scheint…

Feuerfüchse
Kriminalroman
dtv 11451
Eine Leiche im Wald, und
der Täter scheint schnell
gefunden. Aber Helen West
gibt sich nicht mit einfachen Lösungen zufrieden.

Im Kinderzimmer
Roman · dtv 20143
Katherines Leben in ihrem
luxuriösen Zuhause hat seinen Preis: Sie versucht sich
die Liebe ihres Mannes
durch Anpassung und
Unterwerfung zu erhalten,
seine grausamen Spielchen
stumm zu ertragen. Doch
damit ist ihre kleine Tochter Jeanetta dem Sadismus
des Vaters hilflos ausgeliefert…

Dieses kleine, tödliche Messer
Kriminalroman
dtv 11536
Der Täter ist geständig.
Und er belastet die bis dato
unbescholtene Antiquitätenhändlerin schwer. Die
Staatsanwältin Helen West
setzt alles daran, die wahre
Schuldige vor Gericht zu
bringen – aber deren krankhafte Rachsucht sucht bereits das nächste Opfer…
Der psychologisch raffinierte, spannungsgeladene
Roman einer mörderischen
Obsession.

Tiefer Schlaf
Kriminalroman
dtv 20192
Niemand interessiert sich
besonders dafür, was der
ehrbare Apotheker in
seinem Hinterzimmer
treibt. Als seine Frau tot
aufgefunden wird, will die
Staatsanwältin Helen West
als einzige die Version des
»natürlichen Todes« nicht
akzeptieren. Ein kriminalistisch-psychologisches
Kabinettstück von
tödlicher Intelligenz.

Marlen Haushofer im dtv

»Was das Werk der Österreicherin prägt und es so
faszinierend macht, ist bei all seiner Klarheit sanfte
Güte und menschliche Nachsicht für die ganz
alltäglichen Dämonen in uns allen.«
Juliane Sattler in der ›Hessischen Allgemeinen‹

**Die Frau mit den
interessanten Träumen**
Erzählungen · dtv 11206

**Wir töten Stella und
andere Erzählungen**
dtv 11293
»Marlen Haushofer
schreibt über die abge-
schatteten Seiten unseres
Ichs, aber sie tut es ohne
Anklage, Schadenfreude
und Moralisierung.«
(Hessische Allgemeine)

Schreckliche Treue
Erzählungen
dtv 11294
»…Sie beschreibt nicht nur
Frauenschicksale im Sinne
des heutigen Feminismus,
sie nimmt sich auch der oft
übersehenen Emanzipation
der Männer an…« (Geno
Hartlaub)

Die Tapetentür
Roman
dtv 11361
Eine berufstätige junge
Frau lebt allein in der
Großstadt. Die Distanz zur
Umwelt wächst, begleitet
von einem Gefühl der
Leere und Verlorenheit.
Als sie sich verliebt, scheint
die Flucht in ein »norma-
les« Leben gelungen…

Eine Handvoll Leben
Roman
dtv 11474
Eine Frau stellt sich ihrer
Vergangenheit.

Die Wand
Roman
dtv 12597
Marlen Haushofers Haupt-
werk und eines der Bücher,
»für deren Existenz man
ein Leben lang dankbar
ist«. (Eva Demski)

Die Mansarde
Roman
dtv 12598

**Himmel, der nirgendwo
endet**
Roman
dtv 12599
Ein autobiographischer
Kindheitsroman.

Doris Lessing im dtv

»Nicht außergewöhnliche Charaktere rufen die enorme
Wirkung ihrer Bücher hervor, sondern Menschen in
vielfältiger Gebrochenheit.«
Siegfried Lenz

Martha Quest
Roman · dtv 12242
Die Geschichte der
Martha Quest, die vor dem
engen Leben auf einer
Farm in Südrhodesien in
die Stadt flieht.

Eine richtige Ehe
Roman
dtv 10612

Sturmzeichen
Roman
dtv 10784
Martha Quest als Mitglied
einer kommunistischen
Gruppe gegen Ende des
Zweiten Weltkriegs.

Landumschlossen
Roman
dtv 10876
Martha sucht in einer
Welt, in der es keine
Normen mehr gibt, für
sich und die Gesellschaft
Lösungen.

Die viertorige Stadt
Roman · dtv 11075
Martha Quest geht nach
London.

Vergnügen
Erzählungen · dtv 10327

**Wie ich endlich mein
Herz verlor**
Erzählungen · dtv 10504

Zwischen Männern
Erzählungen · dtv 10649

**Nebenerträge eines
ehrbaren Berufes**
Erzählungen
dtv 10796

**Die Höhe bekommt
uns nicht**
Erzählungen
dtv 11031

Auf der Suche
Eine Dokumentation
dtv 11582
»Was ist eigentlich
England?«
Mit dieser Frage und
einem kleinen Kind im
Gepäck kommt Doris
Lessing 1949 nach Lon-
don. Sie hat zwar kein
Geld, dafür aber die feste
Absicht, Schriftstellerin zu
werden…

Margriet de Moor im dtv

»Ich möchte meinen Leser genau in diesen zweideutigen Zustand versetzen, in dem die Gesetze der Wirklichkeit aufgehoben sind.«
Margriet de Moor

Erst grau dann weiß dann blau
Roman · dtv 12073
Eines Tages ist sie verschwunden, einfach fort. Ohne Ankündigung verlässt Magda ihr angenehmes Leben, die Villa am Meer, den kultivierten Ehemann. Und ebenso plötzlich ist sie wieder da. Über die Zeit ihrer Abwesenheit verliert sie kein Wort. Die stummen Fragen ihres Mannes beantwortet sie nicht.

Der Virtuose
Roman · dtv 12330
Neapel zu Beginn des 18. Jahrhunderts – die Stadt des Belcanto zieht die junge Contessa Carlotta magisch an. In der Opernloge gibt sie sich, aller Erdenschwere entrückt, einer zauberischen Stimme hin: Es ist die Stimme Gasparo Contis, eines faszinierend schönen Kastraten. Carlotta verführt den in der Liebe Unerfahrenen nach allen Regeln der Kunst.

Herzog von Ägypten
Roman · dtv 12716
Die Liebesgeschichte zwischen Lucie, der Bäuerin, und Joseph, dem Zigeuner. Und gleichzeitig ein ganzes Panorama menschlicher Schicksale…

Rückenansicht
Erzählungen · dtv 11743

Doppelporträt
Drei Novellen · dtv 11922

Ich träume also
Erzählungen · dtv 12576

»De Moor erzählt auf unerhört gekonnte Weise. Ihr gelingen die zwei, drei leicht hingesetzten Striche, die eine Figur unverkennbar machen. Und sie hat das Gespür für das Offene, das Rätsel, das jede Erzählung behalten muss, von dem man aber nie sagen kann, wie groß es eigentlich sein soll und darf.« (Christof Siemes in der ›Zeit‹)

Erika Pluhar im <u>dtv</u>

»Ich werde aus dem, was unwissend, unvorbereitet, haltlos und rücksichtslos gelebt wurde, Geschichten machen.«
Erika Pluhar

Marisa
Rückblenden auf eine Freundschaft
dtv 20061

Zwei Schülerinnen des Max-Reinhardt-Seminars: schön, begabt und faul die eine, die bald schon als Filmstar Marisa Mell in Hollywood aufstrahlen (und verlöschen) wird; pflichtbewußt und scharf beobachtend die andere, Erika Pluhar, der eine Karriere am Wiener Burgtheater bevorsteht. Die liebevolle, nachdenkliche, »wahre« Geschichte von zwei ungleichen Freundinnen – zwei Leben, die scheinbar ähnlich begannen und schockierend andere Wendungen genommen haben.

Als gehörte eins zum andern
Eine Geschichte
dtv 20174

Sie ist Schauspielerin in den besten Jahren, innerlich ist sie völlig ausgebrannt – als sie *ihn* kennenlernt. Der wachsenden Intensität ihrer Beziehung wohnt auch schon die künftige Trennung inne. Die Geschichte einer intensiven und zerbrechlichen Liebe, über Freiheit und Nähe, über das Reifen einer Frau und die Kraft starker Gefühle.

Am Ende des Gartens
Erinnerungen an eine Jugend
dtv 20236

Erika Pluhar erzählt von ihren Kriegserlebnissen in Wien, von einer Gegenwelt voller Zauber in einem österreichischen Dorf, vom Leiden der Heranwachsenden, den ersten Erfolgen am Burgtheater, von ihrer großen Liebe und ihrer ersten Ehe – und rekonstruiert so Stück für Stück die Geschichte einer sich selbst bewußt werdenden Frau.